La petite boutique du
BONHEUR

MICHEL LAVERDIÈRE

La petite boutique du
BONHEUR

Pensées et réflexions
pour chasser
le vague à l'âme

OCTAVE
ÉDITIONS

Catalogage avant publication de Bibliothèque et Archives nationales du Québec et Bibliothèque et Archives Canada

Vedette principale au titre :
La petite boutique du bonheur : pensées et réflexions pour chasser le vague à l'âme

ISBN 978-2-923717-53-1

1. Bonheur - Citations, maximes, etc. 2. Vie - Philosophie - Citations, maximes, etc. I. Laverdière, Michel, 1949-

BF575.H27P47 2011   152.4'2   C2011-941432-5

Conception graphique,
infographie et dessins : Michel Laverdière

Illustration de la couverture : www.istockphoto.com

ISBN : 978-2-923717-53-1

Dépôt légal : Bibliothèque et Archives nationales du Québec, 2011
Bibliothèque et Archives Canada, 2011

Site Internet : www.editionsoctave.com

Imprimé au Canada

INTRODUCTION

*A*ntibiotique. Antidouleur. Antidépresseur...

L'industrie pharmaceutique est l'une des industries les plus importantes et les plus rentables au monde.

Dans son documentaire intitulé *Québec sur ordonnance*, Paul Arcand nous raconte que la facture de médicaments a explosé au cours des dernières années et que chaque personne consomme en moyenne pas moins de 750 pilules par année.

« *Je ne suis pas sociologue, dit-il, mais je constate qu'on vit dans une société où les gens sont stressés, pressés, et où ils cherchent individuellement des réponses rapides à des problèmes. Et malheureusement, la solution la plus facile, c'est souvent une pilule.* »

À contre-courant de son époque, *La petite boutique du bonheur* ne contient aucun comprimé, capsule ou gelule de fabrication industrielle.

Pourtant, nous sommes persuadés que la lecture de ce livre saura apporter un baume rafraîchissant aux blessures du cœur et au vague à l'âme. Quelques pensées, quelques réflexions et même quelques contes du bout du monde qui nourrissent l'esprit et réchauffent le cœur.

Vous y trouverez aussi quelques prières et pensées qui s'adressent à Dieu. « *Encore lui !* » direz-vous. Évidemment... mais ne dit-on pas qu'il est partout ? Sauf que le Dieu dont on parle ici est un être d'amour qui n'a rien à voir avec le dieu vengeur et colérique d'autrefois.

Si vous ne voulez toujours pas croire en Dieu, n'ayez crainte et vivez votre vie au mieux de vos capacités. Et si la seule pensée qu'il puisse exister éveille votre colère et votre haine, remplacez ce mot par un autre qui saura vous inspirer un absolu et un idéal plus près de vous. Vous n'avez rien à perdre.

Il y a ceux qui croient que Dieu existe ;
ceux qui doutent que Dieu existe ;
ceux qui ne croient pas que Dieu existe
et ceux qui ne veulent pas que Dieu existe !

Le dénominateur commun : « ...Dieu existe ».

De toute façon, on dit que les croyants et les athées sont faits pour s'entendre car celui qui a la foi ne se pose pas de questions et, heureux hasard, l'athée n'a pas de réponses aux questions qu'il se pose...

Le théologien Heinz Zahrnt [1915-2003] a écrit à ce propos : « *J'ai souffert d'un profond trau-*

matisme dans ma carrière de théologien. Je me sens abaissé, humilié, insulté, déshonoré, mais pas par des athées, ceux qui nient Dieu, les moqueurs ou les sceptiques qui, quoique sans dieu, sont souvent très humains, non, par les dogmatistes ; par eux et par les bergers de ceux qui se contentent de suivre la lettre des enseignements et croient que c'est la seule manière d'atteindre Dieu. J'ai été blessé au point le plus essentiel, le point qui m'a fait rester vivant malgré une profonde mélancolie, ma foi en Dieu... »

Nous sommes donc entre amis à qui l'on permet une opinion différente de la nôtre car cette différence nous unit et nous permet d'échanger en toute liberté. D'ailleurs, saint Thomas d'Aquin disait : « *Méfiez-vous de l'homme d'un seul livre.* »

Au cours de la journée, accordez-vous une pause réflexion et retrouvez la paix de l'esprit et de l'âme. Prenez le temps de lire chacune des petites capsules philosophiques et d'y réfléchir quelques instants. Vous transformerez ainsi cette *médication* philosophique en *méditation* pratique. Et comme une petite touche d'humour est souvent la bienvenue, ne soyez pas surpris qu'au fil des pages qui vont suivre se glissent quelques réflexions saugrenues...

* * *

Permettez-moi aussi de vous présenter *Personne*, mon compagnon. Il porte ce nom parce qu'il est né un jour d'un gribouillage : une paire de lunettes, un nez et six traits recourbés comme le jet indiscipliné d'une fontaine... À peine suffisant pour un petit personnage anonyme. J'ai bien essayé de lui donner une forme plus complète, un peu plus de personnalité, mais ça ne l'intéressait pas vraiment.

« *Moins j'en ai, mieux je me porte !* » répond-il.

Il a peut-être raison, et si on vous demande :
« *Qui a dit ça ?* »
Vous pourrez toujours répondre :
« *Personne !* »

Que tous les êtres soient heureux, qu'ils soient en joie, en sureté, et en santé.

Toute chose qui est vivante, faible ou forte, longue, grande ou moyenne, courte ou petite, visible ou invisible, proche ou lointaine, née ou à naître, que tous ces êtres soient heureux.

Que nul ne déçoive un autre, ni ne méprise aucun être si peu que ce soit.

Que nul, par colère ou par haine, ou par ignorance, ne souhaite de mal à un autre, ainsi qu'une mère au péril de sa vie surveille et protège son unique enfant, ainsi avec un esprit sans limite doit-on chérir toute chose vivante.

Aimer chaque être avec tendresse.

Aimer le monde en son entier au-dessus, au-dessous et tout autour sans limitation avec une bonté bienveillante et infinie. Étant debout ou marchant, étant assis ou couché, travaillant ou au repos, tant que l'on est éveillé, il est beau, il est bon de cultiver ce souhait, ce vœu.

Cela est appelé la suprême manière de vivre.

METTA SUTTA, ou Discours sur la bonté bienveillante, texte du canon bouddhique.

Un homme important demande au sage Sengai d'écrire une ode à la gloire de sa famille, afin que la prospérité de celle-ci brille de génération en génération, comme un soleil radieux. Le sage déroule une grande feuille de papier et écrit ces quelques mots :

LE PÈRE MEURT, LE FILS MEURT
ET LE PETIT-FILS MEURT AUSSI.

L'homme riche se croit la victime d'une très mauvaise plaisanterie et se met en colère contre l'humour douteux de Sengai : « *Je t'ai demandé d'écrire un poème afin de bénir ma famille ! C'est horrible, ce que tu as écrit !* »

Paisible, Sengai répond, le regard lumineux : « *Si ton fils devait mourir avant toi, tu serais très malheureux. Si ton petit-fils devait mourir avant ton fils, vous deux en auriez le cœur brisé d'un chagrin insurmontable. Mais si les membres de ta famille meurent dans cet ordre naturel, tout est en harmonie avec le cycle de la vie. Voilà la vraie prospérité... »*

SENGAI GIBON
moine japonais

Un apprenti charpentier s'étonne de la grandeur et de la vieillesse d'un chêne noueux, et son maître de lui répondre :

« Si cet arbre est si gigantesque et si vieux, c'est parce qu'il est inutile. Sinon, on l'aurait abattu depuis longtemps pour en faire des meubles, des lits, une table et des chaises. Mais parce qu'il ne sert à rien, on l'a laissé pousser et aujourd'hui, on peut se reposer à l'ombre, sous son feuillage. »

HENRI NOUWEN
prêtre et écrivain

L'homme qui croit tout savoir et ne se connaît pas lui-même empêche les autres de se connaître.

PROVERBE DE L'INDE

Si je te donne un cadeau, et que tu me donnes aussi un cadeau, on repart chacun avec un cadeau. Si je te donne une bonne idée et que tu me donnes aussi une bonne idée, on repart chacun avec deux bonnes idées.

IBN MANSOUR AL HALLADJ
mystique musulman

Souvent j'avais rêvé de rôles qui devaient m'être assignés, comme poète peut-être, ou comme prophète ou comme peintre. Tout cela en vain ! Pas plus qu'un autre, je n'étais ici-bas pour composer des poèmes ou pour prêcher, ou pour peindre. Tout cela était accessoire. La vraie mission de chaque homme était celle-ci : parvenir à soi-même.

HERMANN HESSE
romancier et poète allemand

Plus on vieillit, plus on apprend. Si tu restais âgé de vingt-deux ans, tu serais toujours aussi ignorant que tu l'étais alors. Vieillir, ce n'est pas seulement se détériorer, tu sais ! C'est croître. Ce n'est pas seulement aller vers la mort, [...] c'est également comprendre que l'on va mourir, ce qui est positif car alors on vit mieux... Quand on a trouvé un sens à la vie, on n'a pas envie de revenir en arrière. On veut aller de l'avant. On veut en voir plus, en faire plus. On a hâte d'avoir soixante-cinq ans.

MITCH ALBOM
écrivain et journaliste américain

Je n'aime pas ceux qui ne rient jamais, ce ne sont pas des gens sérieux.

WOLFGANG AMADEUS MOZART
compositeur

Il faut toujours remettre à demain ce qui naturellement peut attendre à demain !

PROVERBE CHINOIS

Borné dans sa nature, infini dans ses vœux, l'homme est un dieu tombé qui se souvient des cieux.

ALPHONSE DE LAMARTINE
écrivain français

Il faut que je me connaisse et que je découvre ce que Dieu veut de moi ; je dois trouver une vérité qui est vraie pour moi, découvrir l'idée pour laquelle je puisse vivre et mourir.

SØREN KIERKEGAARD
philosophe danois

Tout problème est un message.

SHAKTI GAWAIN
auteure américaine

Au bout d'un moment, elle mit un autre morceau de Händel, et tandis que nous écoutions, j'eus le sentiment que la musique nous réunissait, comme s'il n'y avait pas de distinction entre sa nature intérieure et la mienne... Je compris brusquement que tous les êtres humains pouvaient entrer en une communion profonde s'ils voulaient bien faire l'effort de briser les barrières habituelles de la mesquinerie et de l'égoïsme. C'était une idée intéressante qui ne m'était encore jamais venue à l'esprit. Toute la race humaine pourrait un jour entrer dans une telle communion que chacun se soucierait du bien-être des autres, que chacun traiterait ses semblables comme une mère traite son enfant : avec amour. Cela réglerait tous les problèmes. La misère, la faim, la surpopulation cesseraient d'être des problèmes insolubles lorsque chacun de nous ressentirait cette profonde compréhension mutuelle. L'humanité a besoin d'atteindre un stade tout à fait nouveau de son évolution : la prise de conscience que, spirituellement parlant, elle constitue un seul organisme.

COLIN WILSON
écrivain britannique

Mon voisin aime écouter
Gustav Mahler
et cette musique,
moi, elle me plaît bien.
C'est vrai que
le Mahler des uns
fait le bonheur des autres.

Une difficulté n'est rien de plus qu'une opportunité en tenue de travail.

HENRY J. KAISER
industriel américain

Il n'y a que deux façons d'appréhender la vie. On peut vivre comme si le miracle n'existait pas. Ou alors vivre comme si toute chose était un miracle.

ALBERT EINSTEIN
physicien américain d'origine allemande

Deux hommes qui ne se connaissent pas sont capables, par amour-propre, de passer l'un à côté de l'autre, dans un désert, sans se saluer.

JULES RENARD
écrivain français

Il n'y a rien d'irritant à être là où on se trouve. Le seul irritant est de penser qu'on voudrait être ailleurs.

JOHN CAGE
compositeur américain

Les semences du découragement ne germeront pas dans un cœur reconnaissant.

ANONYME

Il faut, au moins une fois par jour, entendre une petite chanson, lire un bon poème, voir une belle illustration, et si cela nous est possible, prononcer quelques paroles raisonnables.

JOHANN WOLFGANG VON GOETHE
écrivain allemand

Quand on est jeune, on se figure que vieillir, c'est se désagréger dans un monde qui dure. Quand on vieillit, on pense que vieillir, c'est durer dans un monde qui se désagrège.

ALEXANDRE VIALATTE
écrivain français

Si vous ne pouvez pas vous convertir au bien, alors faites le moins de mal possible.

SAINT THOMAS D'AQUIN
théologien italien

Tous les hommes recherchent le bonheur, mais dès qu'il s'agit de savoir exactement en quoi consiste ce qui peut faire une vie heureuse, leur vision se voile graduellement.

SÉNÈQUE
philosophe latin

S'asseoir tranquillement, ne rien faire. Vient le printemps et l'herbe pousse d'elle-même.

DICTON ZEN

Je ne suis pas né pour gagner, je suis né pour être vrai. Je ne suis pas né pour réussir, je suis né pour vivre en faisant honneur à la lumière qui brille en moi.

ABRAHAM LINCOLN
16e président des États-Unis

L'expérience, ce n'est pas ce qui arrive à un homme. C'est ce qu'un homme fait avec ce qui lui arrive.

ALDOUS HUXLEY
écrivain britannique

Sois humble car tu proviens de la terre. Sois noble car tu proviens des étoiles.

PROVERBE SERBE

Tout ce que je donne est donné à moi-même.

UN COURS EN MIRACLES

Les gens sereins savent apprécier ce qu'ils ont et leurs célestes remerciements séduisent les intelligences invisibles, si bien que d'autres bénédictions s'acheminent vers eux.

PAUL BEAUDRY
auteur québécois

Qu'est-ce que la mort ?
Un mauvais moment à trépasser.

CLAUDE AVELINE
écrivain français

À l'instant de la mort, l'âme prend un nouveau corps, aussi naturellement qu'elle est passée, dans le précédent, de l'enfance à la jeunesse, puis à la vieillesse. Ce changement ne trouble pas qui a conscience de sa nature spirituelle.

BHAGAVAD GITA

Vivre, c'est être pris entre la passion inassouvie, éternellement jeune, du cœur humain et la secrète douleur de la mort imminente et de l'inaccompli.

ANNEMARIE SCHWARZENBACH
écrivaine et journaliste suisse

Je voudrais rassurer les peuples qui meurent de faim : ici, on mange pour vous.

MICHEL COLUCCI, dit COLUCHE
humoriste et comédien français

On me demanda : « *Si le pape te demande de faire quelque chose et que ta conscience te demande de marcher dans un autre sens, à qui faut-il obéir ?* » Je répondis aussitôt : « *Même si c'est le pape qui le commande, si ta conscience te dit de faire autre chose, suis ta propre conscience, parce qu'en ne suivant pas ta propre conscience, c'est la voix même de Dieu que tu étouffes.* »

SAINT THOMAS D'AQUIN
théologien italien

Nous avons le droit à l'erreur, nous avons le droit de nous tromper de chemin et, si nous nous trompons, nous pouvons toujours revenir vers le « droit chemin ». Peut-être d'ailleurs faut-il faire l'expérience de l'erreur, de l'errance ? Tomber, mais pour se relever ; la chute nous appelle au redressement.

JEAN-YVES LELOUP
philosophe et écrivain français

On croit qu'on va faire un voyage, mais bientôt c'est le voyage qui vous fait, ou vous défait.

NICOLAS BOUVIER
écrivain suisse

Mieux vaut vivre sans trouble en dormant sur une paillasse qu'être agité en disposant d'un lit d'or et d'une table luxueuse.

La pauvreté mesurée aux besoins de notre nature est une grande richesse ; la richesse, pour qui ne connaît pas de bornes, est une grande pauvreté.

ÉPICURE
philosophe grec

Dans une maison, les poutres, les murs, les plafonds et les planchers forment la structure, mais c'est dans les espaces vides que nous vivons.

LAO TSEU
philosophe chinois

Tout acte d'amour est une œuvre de paix. Sa grandeur ou sa petitesse importe peu.

MÈRE TERESA
religieuse indienne d'origine albanaise

J'ai simplement compris que la haine détruit d'abord ceux qui haïssent, et non ceux qui sont haïs.

FREI BETTO
théologien brésilien

Je n'ai jamais eu la vie trop facile et j'ai dû payer le gros prix pour mes erreurs, mais d'autre part, les joies ont compensé pour les moments difficiles. Merci à tous ceux qui m'ont aidé, qui m'aident encore et qui m'aideront dans le futur. Jamais je ne pourrai leur dire à quel point j'ai apprécié ce qu'ils ont fait pour moi, mais aujourd'hui, je dois faire face à moi-même, peu importe le résultat.

SERGE LAVERDIÈRE

Toujours vigilant à l'égard de ses pensées, l'être mystique cherche à renoncer à celles qui condamnent et à nourrir celles qui bénissent.

MARIANNE WILLIAMSON
auteure américaine

La mort ne m'aura pas vivant.

JEAN COCTEAU
poète français

Chaque hiver abrite en son cœur un printemps qui frissonne et derrière le voile de chaque nuit se profile une aube souriante.

KHALIL GIBRAN
poète libanais

Je n'avais ni guide, ni lumière, excepté celle qui brillait dans mon cœur, cette lumière me guidait plus sûrement que celle du midi au lieu où m'attendait Celui qui me connaît parfaitement.

SAINT JEAN DE LA CROIX
mystique espagnol

Nourrir ceux qui ont faim, pardonner à ceux qui m'insultent et aimer mon ennemi, voilà de nobles vertus. Mais que se passerait-il si je découvrais que le plus démuni des mendiants et que le plus impudent des offenseurs vivent en moi, et que j'ai grand besoin de faire preuve de bonté à mon égard, que je suis moi-même l'ennemi qui a besoin d'être aimé ? Que se passerait-il alors ?

CARL GUSTAV JUNG
médecin, psychiatre et psychologue suisse

La guerre la plus dure, c'est la guerre contre soi-même. Il faut arriver à se désarmer. J'ai mené cette guerre pendant des années, elle a été terrible. Mais je suis désarmé. Je n'ai plus peur de rien, car l'amour chasse la peur.

ATHÉNAGORE
philosophe grec

De temps à autre, prends bien le temps de regarder quelque chose qui n'est pas fait de main d'homme : une montagne, une étoile, le méandre d'une rivière. Alors, surviendront en toi la sagesse, la patience et surtout la certitude que tu n'es pas seul en ce monde.

SIDNEY LOVETT
pasteur américain

L'éternité n'est rien d'autre que la parfaite possession de soi en un seul et même instant.

SAINT AUGUSTIN
philosophe et théologien chrétien

Celui qui perçoit la musique de l'âme joue bien son rôle dans la vie.

SWAMI SHIVANANDA
sage indien

Les opinions sont trop souvent
les murs de la prison
de notre esprit !

C'est être bien riche que de n'avoir rien à perdre.

PROVERBE CHINOIS

Vouloir améliorer l'humanité, c'est-à-dire l'ensemble des hommes, sans améliorer la qualité de l'Homme, est une utopie : le monde ne deviendra meilleur que si chacun des hommes est meilleur.

GEORGES ROUX
écrivain et prédicateur français

Quand on plonge au plus profond de soi, on découvre qu'on possède tout ce qu'on a toujours désiré.

SIMONE WEIL
philosophe française

On passe sa vie à vouloir atteindre un objectif, à courir après des rêves, à croire qu'obtenir ce que l'on veut nous ouvrira les portes du bonheur. Mais ça ne se passe pas ainsi. C'est le chemin qui fait l'existence, pas l'aboutissement. Peu importe la beauté, l'importance ou la spiritualité de l'objet de nos prétentions, la mort est toujours au bout du chemin.

VICTOR FRANKL
neurologue et psychiatre autrichien

La véritable spiritualité se reconnaît dans la façon de vivre et d'aborder l'existence, et non dans la façon que l'on transmet ses croyances.

NATHANIEL BRANDEN
psychothérapeute et écrivain américain

Je vois pour ma part la religion s'acheminer vers la disparition du dogmatisme, de l'autoritarisme, de l'enrégimentation et de la foi absolue. Elle ferait alors une place privilégiée à la prière quotidienne, à une théologie ouverte à la poésie, à l'engagement social, à la contemplation éclairée et au soin apporté aux choses de l'âme.

THOMAS MOORE
psychothérapeute et écrivain américain

Quand un morceau de pain ou de nourriture par terre, tous les oiseaux et autres petits animaux arrivent de partout ; quand un homme tombe, ça prend un petit peu plus de temps...

PROVERBE DE L'INDE

Peu de gens savent être vieux.

FRANÇOIS DE LA ROCHEFOUCAULD
écrivain et moraliste français

Un jour, Moïse traversait une oasis quand il entendit un homme prier de façon très étrange. Il racontait de telles énormités que Moïse crut que le pauvre ignorant s'amusait à profaner et ridiculiser le nom de Dieu.

L'homme regardait le ciel et parlait ainsi : « *Ô toi, Dieu, tu dois souvent te sentir seul ; je pourrais aller te visiter et te tenir compagnie et si tu ne veux pas m'entendre jacasser, je pourrais m'asseoir en silence à tes cotés et nous regarderions ta création. Nous corrigerions tes erreurs. Pourquoi rester seul si je puis être avec toi ? Je possède aussi quelques talents, je suis patient et je sais être délicat. Je pourrais te laver de la tête aux pieds, te débarrasser de tes poux et autres parasites. Je pourrais même soigner tes ampoules.* »

Moïse était scandalisé : Dieu aurait des poux, des parasites et des ampoules aux pieds ! Sacrilège !

Et l'homme de continuer : « *Je peux aussi faire la cuisine, je suis un excellent marmiton. Tout le monde le dit. Je nettoierais ton grabat et je laverais tes tuniques. Quand tu serais malade, je te soignerais comme si tu étais mon fils. Je serais ton esclave, ton serviteur. Je sais presque tout faire. Ne sois pas idiot, tu n'as qu'à m'appeler et je viendrai...* »

Moïse l'apostropha et lui dit: « *Que fais-tu, pauvre imbécile ? À qui t'adresses-tu ? Comment peux-tu accuser Dieu d'avoir des poux et d'avoir besoin que tu le laves ? Tu as complètement perdu la raison ! Ce n'est pas une prière qui sort de ta bouche, mais un blasphème immonde. Tu seras damné pour l'éternité !* »

Le pauvre illettré tomba aux pieds de Moïse et lui dit : « *Je vous demande pardon, je ne suis qu'un ignorant. Je n'ai jamais appris à prier. Mais si vous m'apprenez, je saurai enfin et je serai sauvé ! Ayez pitié de moi !* »

N'écoutant que son bon cœur, Moïse lui apprit comment prier et se sentit très satisfait d'avoir permis à un tel ignorant d'apprendre la science de la prière. Fier de lui, Moïse continua son chemin.

Une fois dans le désert, seul, il entendit une voix grave venue du ciel qui lui dit : « *Moïse, je t'ai donné pour mission d'amener les gens vers moi, de leur permettre de se rapprocher de moi, pas de les effrayer, et c'est exactement ce que tu viens de faire. Cet homme si humble et si simple est l'un de mes plus dévoués serviteurs. Retourne lui demander pardon et dis-lui de recommencer à prier comme il le faisait avant que tu ne l'interrompes ! Tu as gâché*

toute la poésie de ses prières. Son cœur est sin-
cère, il m'aime et son amour est vrai. Tout ce
qu'il dit, il le dit avec son cœur. Mais ce que tu
lui as appris n'est qu'un rituel et ce ne seront que
des mots vides qui sortiront de sa bouche : ils ne
viendront pas de son cœur. »

CONTE HÉBREU

Le scientiste a l'intelligence arrêtée
par ce qu'il sait, ce qui est encore une
belle définition de l'imbécillité, même
diplômée. Le scientifique, c'est celui
dont l'intelligence n'est pas arrêtée par
ce qu'il sait, mais demeure dans l'ouvert
de ce qu'il cherche.

JEAN-YVES LELOUP
philosophe et écrivain français

La paix d'esprit est nettement une af-
faire interne. Elle doit partir de tes propres pensées, puis s'étendre vers
l'extérieur. C'est de ta paix d'esprit que
découle une perception paisible du
monde.

UN COURS EN MIRACLES

Mais à quoi ça sert,
le bonheur,
quand on est
déjà heureux ?

Qu'un être cherche à mieux vivre ou à se réaliser spirituellement, le chemin commence au même endroit. Dépouiller son cœur de ses peines, de sa haine, de sa colère et de ses angoisses est assurément la plus noble entreprise personnelle à laquelle un être puisse se livrer au cours de son existence.

PAUL BEAUDRY
auteur québécois

L'âme et le corps sont amis dès la naissance, pourquoi essayer de les séparer ?
Prenez soin des deux ! Ce sera beaucoup moins compliqué.

PROVERBE DE L'INDE

Il est bien vrai que nous devons penser au bonheur d'autrui ; mais on ne dit pas assez que ce que nous pouvons faire de mieux pour ceux qui nous aiment, c'est encore d'être heureux.

ALAIN
philosophe français

Le plaisir est le bonheur des fous, le bonheur est le plaisir des sages.

JULES BARBEY D'AUREVILLY
écrivain français

Fais ta compagnie de gens bons et aimables, recherche l'amitié des meilleurs parmi les humains.

Qui boit à la source de la sagesse vit heureux dans la sérénité de l'esprit.

La pensée se manifeste par une parole, la parole par un acte, l'acte devient une habitude et l'habitude se solidifie en caractère.

Alors, observe avec soin la pensée et ses méandres et laisse-la jaillir de l'amour né du souci de tous les êtres.

De même que l'ombre suit le corps, tel on pense, tel on devient.

Ne faites rien de nuisible, ne faites que le bien.

Purifiez et entraînez votre esprit, tel est l'enseignement du Bouddha.

Telle est la voie de l'éveil.

DHAMMAPADA

L'ennui est la marque des esprits médiocres. Ils s'ennuient dans la solitude parce qu'ils se rencontrent eux-mêmes.

ALBERT Ier
prince belge

La simplicité de la vie est le signe de la vraie prospérité.

SWAMI RAMDAS
philosophe et pèlerin indien

Il y a quelque chose de plus haut que l'orgueil et de plus noble que la vanité, c'est la modestie, et quelque chose de plus rare que la modestie, c'est la simplicité.

ANTOINE DE RIVAROL
écrivain français

Sans une connaissance de la nature, nous ne pouvons savoir qui nous sommes ni ce que nous devons faire. La nature nous modèle tout autant que nous la modelons nous-mêmes, et c'est dans cet échange mutuel qu'ensemble se réalisent la nature et l'homme.

THOMAS MOORE
psychothérapeute et écrivain américain

La parole dont la simplicité est à la portée de tout le monde et dont le sens est profond est la meilleure.

MENG-TSEN
philosophe chinois

La simplicité possède des dimensions qui vont au-delà du purement esthétique : elle peut être le reflet de qualités innées, intérieures, ou la quête d'une compréhension philosophique ou littéraire de l'harmonie, de la raison et de la vérité.

JOHN PAWSON
architecte et designer britannique

Si tu es humble, rien ne pourra te toucher, ni les éloges ni les reproches, parce que tu sais qui tu es. Ne te laisse pas décourager par l'échec si tu es persuadé d'avoir fait de ton mieux.

MÈRE TERESA
religieuse indienne d'origine albanaise

Quand le cœur pleure ce qu'il pense avoir perdu, l'âme rit de ce qu'elle a gagné.

PROVERBE SOUFI

Seul vaut ce qui est fait avec passion, avec cœur et amour. Tout divertissement avec lequel l'homme cherche à fuir sa solitude ne mène qu'à la déception et à un sentiment de vide.

ANSELM GRÜN
moine bénédictin allemand

J'ai compris que toutes les fleurs qu'Il a créées sont belles, que l'éclat de la rose et la blancheur du lys n'enlèvent pas le parfum de la petite violette ou la simplicité ravissante de la pâquerette…

J'ai compris que si toutes les petites fleurs voulaient être des roses, la nature perdrait sa parure printanière, les champs ne seraient plus émaillés de fleurettes… Si toutes les âmes ressemblaient à celles des saints docteurs qui ont illuminé l'Église par la clarté de leur doctrine, il semble que le bon Dieu ne descendrait pas assez bas en venant jusqu'à leur cœur, mais Il a créé l'enfant qui ne sait rien et ne fait entendre que de faibles cris, Il a créé le pauvre sauvage n'ayant pour se conduire que la loi naturelle et c'est jusqu'à leur cœur qu'Il daigne S'abaisser, ce sont là Ses fleurs des champs dont la simplicité Le ravit…

SAINTE THÉRÈSE DE L'ENFANT JÉSUS
mystique française

Vous êtes ce que vous êtes parce que vous pensez ce que vous pensez. Vous êtes là où vous êtes parce que vous pensez ce que vous pensez.

WALLACE D. WATTLES
auteur américain

Aime ton prochain
comme toi-même...

Ne courez pas après la vie : elle attend toujours après vous.

PRÉCEPTE ZEN

Les êtres empiégés dans le terrible filet du cycle des morts et des renaissances peuvent aussitôt s'y soustraire en chantant, fut-ce de façon inconsciente, le saint Nom du Seigneur que redoute même la terreur en personne.

SHRIMAD-BHAGAVATAM

Seigneur, ne me laisse pas devenir victime de l'orgueil quand je réussis ou de la déception quand j'échoue.

Apprends-moi qu'être prêt à pardonner est l'une des plus grandes marques de la force et que le désir de vengeance est l'une des manifestations de la faiblesse.

Si j'ai blessé mon prochain, donne-moi la force de m'excuser ; si les gens m'ont fait du tort, donne-moi le courage du pardon.

ALY AMIN
Égypte

À chaque pas que l'homme fait dans la direction de l'amour, l'humanité en fait un aussi.

PAUL BEAUDRY
auteur québécois

Dans la quiétude, toutes choses ont leur réponse et chaque problème est quiètement résolu.

UN COURS EN MIRACLES

Pour le corps, nous avons la gymnastique et pour l'âme, la musique.

PLATON
philosophe grec

Connaître les autres, c'est sagesse.

Se connaître soi-même, c'est sagesse supérieure.

Imposer sa volonté aux autres, c'est force.

Se l'imposer à soi-même, c'est force supérieure.

LAO TSEU
philosophe chinois

L'on craint la vieillesse, que l'on n'est pas sûr de pouvoir atteindre.

JEAN DE LA BRUYÈRE
écrivain et moraliste français

Un jour, le chien d'un berger tombe dans un vieux puits asséché. Le chien ne cesse de gémir, probablement blessé par sa chute. Impuissant, le pauvre berger ne sait quoi faire. Il s'avère inutile de laisser descendre une corde car le chien ne saurait s'y attacher, et il ne peut lui-même essayer de descendre. Peiné du sort de son vieil ami, le berger se résigne à condamner ce puits. Le chien est déjà vieux et peut-être mortellement blessé.

À contrecœur, il invite ses voisins à venir l'aider à remplir le puits. Chacun apporte sa pelle et, à tour de rôle, jette la terre dans le puits. Le chien, surpris, se met à hurler de plus belle, déchirant le cœur de son maître et des fermiers venus l'aider.

Pourtant, quelques minutes plus tard, le chien se tait. Intrigué, le berger se penche au-dessus du trou béant et s'étonne de voir son chien en pleine action : celui-ci secoue chaque pelletée de terre qui tombe sur son dos et monte dessus. Et plus la terre s'accumule au fond du puits, plus haut monte l'animal maintenant tout excité. Et chacun est bientôt abasourdi de voir le chien sauter hors du puits et se mettre à courir autour de son maître.

CONTE DE PROVENCE

Ceux qui ne supportent pas la solitude seraient bien étonnés d'apprendre qu'ils ne s'aiment point.

GILBERT CESBRON
écrivain français

Les jeunes gens disent ce qu'ils font, les vieillards ce qu'ils ont fait, et les sots ce qu'ils ont envie de faire.

CHARLES DUFRESNY
écrivain français

Remets vigoureusement en question jusqu'à l'existence de Dieu ; car s'il existe, il mérite bien qu'on lui rende hommage avec la raison et non à cause d'une peur aveugle.

THOMAS JEFFERSON
3e président des États-Unis

La simplicité véritable allie la bonté à la beauté.

PLATON
philosophe grec

La solitude est un enfer pour ceux qui tentent d'en sortir ; elle est aussi le bonheur pour les ermites qui se cachent.

ABE KOBO
médecin et écrivain japonais

La plupart des hommes font du bonheur une condition. Mais le bonheur ne se rencontre que lorsqu'on ne pose pas de condition.

ARTHUR RUBINSTEIN
pianiste polonais

Le bonheur, on ne le trouve pas, on le fait. Le bonheur ne dépend pas de ce qui nous manque, mais de la façon dont nous nous servons de ce que nous avons.

ARNAUD DESJARDINS
auteur et spiritualiste français

L'enfance trouve son paradis dans l'instant. Elle ne demande pas du bonheur. Elle est le bonheur.

LOUIS PAUWELS
journaliste et écrivain français

Si vous voulez vraiment rêver, réveillez-vous...

DANIEL PENNAC
écrivain français

L'essentiel pour le bonheur de la vie, c'est ce que l'on a en soi-même.

ARTHUR SCHOPENHAUER
philosophe allemand

L'homme qui réclame la liberté, c'est au bonheur qu'il pense.

CLAUDE AVELINE
écrivain français

Le seul fait de rêver est déjà très important. Je vous souhaite des rêves à n'en plus finir et l'envie furieuse d'en réaliser quelques-uns. Je vous souhaite d'aimer ce qu'il faut aimer et d'oublier ce qu'il faut oublier. Je vous souhaite des chants d'oiseaux au réveil, des rires d'enfants. Je vous souhaite de résister à l'enlisement, à l'indifférence, aux vertus négatives de notre époque. Je vous souhaite surtout d'être vous.

JACQUES BREL
auteur-compositeur belge

Vieillir et refuser de vieillir va être la source de tous les mirages, mais vieillir et accepter de vieillir va être source de miracles.

JEAN-YVES LELOUP
philosophe et écrivain français

Dans ce jardin de la vieillesse s'épanouissent les fleurs que nous aurions à peine songé cultiver autrefois. Ici fleurit la patience, une plante noble. Nous devenons paisibles, tolérants, et plus notre désir d'intervenir, d'agir diminue, plus nous voyons croître notre capacité à observer, à écouter la nature aussi bien que les hommes. Nous laissons leur existence se développer devant nous sans éprouver aucune volonté critique, avec un étonnement toujours renouvelé face à leur diversité. Parfois nous ressentons de l'intérêt et un regret silencieux, parfois nous rions avec un enthousiasme limpide, avec humour.

HERMANN HESSE
romancier et poète allemand

Je préfère être malheureux de temps en temps parce que je n'arrive pas à obtenir ce que je veux, qu'heureux tout le temps parce que je n'ai envie de rien !

GEORGES WOLINSKI
dessinateur français

Neuf personnes sur dix aiment le chocolat, la dixième ment.

JOHN G. TULLIUS
illustrateur américain

Ainsi, je vous le demande, lorsque vous parlerez en ma mémoire, n'érigez point de religion... Votre monde en a déjà tant connue. Elles sont toutes à l'ombre de leurs dogmes comme des cités derrière leurs murailles. Elles oublient que la terre gronde et que les vents soufflent. Vivez et faites vivre. Sentez et faites ressentir, pensez et apprenez à penser. N'imposez pas ce que vous savez mais faites aimer la recherche du vrai. L'homme a depuis toujours récité la pensée d'un autre homme... qu'il se récite enfin lui-même, au plus profond de son être. C'est là qu'il verra la lumière parce que c'est là que réside le Père, la Force, parce que c'est là aussi que lui-même réside depuis toujours. La pensée est l'essence de la lumière... qu'il apprenne donc à penser.

ANNE ET DANIEL MEUROIS-GIVAUDAN
écrivains français

– Quelle est votre opinion au sujet du ciel et de l'enfer ?

– Je préfère ne pas vous répondre, vous comprenez, j'ai des amis des deux côtés.

JEAN COCTEAU
poète français

Absence de crainte, purification de l'existence, développement du savoir spirituel, charité, maîtrise de soi, accomplissement des sacrifices, étude des Védas, austérité et simplicité, non-violence, véracité, absence de colère, douceur, modestie et ferme détermination, vigueur, pardon, force morale, pureté, absence d'envie et de soif des honneurs, – telles sont, ô descendant de Bharata (Arjuna), les qualités spirituelles des hommes de vertu, des hommes nés de la nature divine.

Arrogance, orgueil, colère, suffisance, âpreté, ignorance, – tels sont, ô fils de Pritha (Arjuna), les traits marquants des hommes issus de la nature démoniaque. Les qualités divines servent la libération de l'être, les attributs démoniaques poussent à l'asservir. Mais n'aie crainte, ô fils de Pandu, car avec les qualités divines tu naquis.

Bhagavad Gita

Aucune preuve ne te convaincra de la vérité de ce que tu ne veux pas voir.

Un cours en miracles

Si tu ne trouves pas la vérité où tu es, où espères-tu la trouver ?

ZENJI DÔGEN
maître zen

Quand vous marchez, contentez-vous de marcher.
Quand vous êtes assis, contentez-vous d'être assis.

UMON

Les bons conseils pénètrent jusqu'au cœur du sage ; ils ne font que traverser l'oreille des méchants.

PROVERBE CHINOIS

Prends soin de chaque instant et tu prendras soin du temps dans son ensemble.

BOUDDHA

Être en paix avec soi-même est le plus sûr moyen de commencer à l'être avec les autres.

LUIS DE LEON
poète espagnol

La vieillesse bien comprise est l'âge de l'espérance.

VICTOR HUGO
écrivain français

Comprenons que les bourreaux de nos vies sont à la fois des victimes auxquelles ils ne savent échapper. L'amour entraîne l'amour, la souffrance entraîne la souffrance. Soyons justes envers nous, et on sera juste envers nous. Soyons honnêtes avec nous-mêmes, et on le sera avec nous.

PAUL BEAUDRY
auteur québécois

Le véritable voyage de la découverte ne consiste pas à voir de nouveaux paysages mais à avoir un regard neuf.

MARCEL PROUST
écrivain français

Ce que nous appelons le destin ne vient pas de l'extérieur mais émerge de l'intérieur.

RAINER MARIA RILKE
poète autrichien

Le bonheur est une denrée merveilleuse : plus on en donne, plus on en a.

SUZANNE CURCHOD
écrivaine suisse

Il faudrait essayer d'être heureux, ne serait-ce que pour donner l'exemple.

JACQUES PRÉVERT
poète français

Le bonheur, ça se trouve pas en lingot, mais en p'tite monnaie !

BÉNABAR
auteur-compositeur français

Il était une fois un marchand qui possédait un perroquet savant.

Un jour le marchand décida d'aller voyager en Inde et demanda aux siens quels cadeaux ils aimeraient qu'il leur rapporte de son voyage.

Quand il posa cette question à son perroquet, celui-ci répondit :

« *En Inde, il y a beaucoup de perroquets. Va les voir de ma part. Décris-leur ma condition, ici, dans cette cage, dis-leur : 'Mon perroquet pense à vous avec une immense nostalgie. Il vous salue. Croyez-vous que ce soit juste qu'il soit prisonnier tandis que vous, vous volez dans des jardins de roses ? Il vous demande de penser à lui tandis que vous vous ébattez avec joie au milieu des fleurs.'* »

Arrivé en Inde, le marchand se rendit dans un lieu où il y avait des perroquets.

Mais à peine eut-il communiqué les paroles de son perroquet, que l'un des oiseaux tomba à terre sans vie. Le marchand en fut très surpris et se dit : « *Ceci est très étrange. J'ai causé la mort d'un perroquet. Je n'aurais jamais dû lui transmettre ce message.* »

Puis quand il eut terminé les achats de souvenirs pour les siens, il s'en retourna chez lui le cœur plein de joie. Il distribua les cadeaux à ses serviteurs et à ses proches.

Le perroquet lui dit : « *Raconte-moi ce que tu as fait afin que moi aussi je sois content.* »

À ces mots le marchand commença à se plaindre et à exprimer sa tristesse.

« *Dis-moi ce qui est arrivé, insista l'oiseau, d'où vient ta douleur ?* »

Le marchand répondit : « *Quand j'ai rapporté tes mots à tes amis, l'un d'entre eux est tombé par terre sans vie, et c'est pour cela que je suis triste.* »

À ce moment-là le perroquet du marchand tomba aussi dans sa cage, inanimé. Le marchand, extrêmement triste, se mit à crier : « *Oh, mon perroquet au langage si doux. Oh, mon ami qu'est-il donc arrivé ? Tu étais un oiseau tel que même Salomon n'en eut pas de meilleur. J'ai perdu mon trésor.* »

Après avoir pleuré longtemps, le marchand ouvrit la cage et jeta le perroquet par la fenêtre.

Immédiatement, celui-ci pris son envol et alla se poser sur la branche d'un arbre.

Le marchand, encore plus surpris, lui dit : « *Explique-moi ce qui se passe.* »

Le perroquet répondit : « *Ce perroquet que tu as vu en Inde m'a enseigné la façon de sortir de ma prison. Avec son exemple, il m'a donné un conseil. Il a voulu me dire : 'Tu es en prison parce que tu parles ; fais donc le mort, et tu seras immédiatement libéré de ta prison.' Adieu, ô mon maître, maintenant j'ai compris, alors je m'en vais. Toi aussi un jour tu rejoindras ta patrie.* »

Le marchand lui dit : « *Que Dieu soit avec toi, toi aussi tu m'as guidé. Cette aventure me suffit par le fait que mon esprit et mon âme ont pris part à ces événements.* »

CONTE DE L'INDE

Il n'existe pas de meilleur exercice pour le cœur que de se pencher pour aider quelqu'un à se relever.

JOHN A. HOLMES
poète américain

L'illumination hors de la vie quotidienne n'existe pas.

THICH NHAT HANH
moine bouddhiste vietnamien

Il ne s'agit pas d'appartenir à telle religion ou d'adhérer à telle croyance, c'est une exigence de la vie elle-même et de la participation à ses mystères. Ainsi pouvons-nous tous être païens par notre affirmation de la vie sous tous ses aspects, chrétiens par la manifestation de notre fraternité, juifs par l'affirmation du caractère sacré de la famille, bouddhistes par notre affirmation du vide et taoïstes par notre culte du paradoxe.

THOMAS MOORE
psychothérapeute et écrivain américain

Tout le monde aime la simplicité ; quelques-uns l'admirent, peu de gens l'adoptent, personne ne l'envie.

MARQUISE DE LAMBERT
auteure française

La philosophie, c'est l'art de se compliquer la vie en cherchant à se convaincre de sa simplicité.

FRÉDÉRIC DARD
écrivain français

Se venger, c'est se mettre au niveau de l'ennemi ; pardonner, c'est le dépasser.

FRANCIS BACON
philosophe anglais

Pour accomplir sa destinée d'homme âgé et remplir convenablement sa mission, il faut accepter la vieillesse et tout ce qu'elle implique, il faut acquiescer à tout cela. Sans ce consentement, sans cette soumission à toutes les exigences de la nature, notre vie perd son sens et sa valeur et, que nous soyons jeunes ou vieux, nous commettons une trahison.

HERMANN HESSE
romancier et poète allemand

Nous avons été ce que vous êtes, vous deviendrez ce que nous sommes.

ANONYME

Vos amis perdus ne sont pas morts ; ils ont quitté plus tôt et vous devancent d'un pas ou deux sur la route que vous aussi aurez à emprunter.

ARISTOPHANE
poète grec

Vois le soleil. Regarde la lune et les étoiles. Contemple la beauté de cette verte terre. Maintenant, réfléchis.

HILDEGARDE VON BINGEN
mystique et compositrice allemande

Il y a quelque chose de merveilleux dans tout, même dans la noirceur et le silence, et j'ai appris que peu importe mon état d'esprit, je peux y trouver du contentement.

HELEN KELLER
écrivaine américaine

Nous ne percevons pas les choses telles qu'elles sont. Nous les voyons tels que nous sommes.

TALMUD

Le bonheur apparaît quand ce que vous pensez, ce que vous dites et ce que vous faites sont en harmonie.

MAHATMA GANDHI
sage et politicien indien

Préfères-tu avoir raison
ou être heureux ?

UN COURS EN MIRACLES

Du moment que le bonheur, c'est de vivre, on doit le trouver aussi bien dans la douleur que dans le plaisir et parfois jusque dans l'ennui.

MARCEL JOUHANDEAU
écrivain français

Le bonheur n'a pas bonne presse chez les intellectuels. Il n'est pas de bonne compagnie. Disons-le tout net : il fait honte parce qu'il interpelle.

ROBERT MISRAHI
philosophe français

Si tu persistes en tournant le dos à la réalité, le bonheur et le malheur glisseront sur ton cœur comme l'eau du torrent sur les galets. Or l'homme a besoin du bonheur et du malheur pour marcher en équilibre.

GILBERT SINOUÉ
écrivain français

Pas un ne se demande s'il vit bien, mais s'il aura longtemps à vivre. Cependant tout le monde est maître de bien vivre ; nul, de vivre longtemps.

SÉNÈQUE
philosophe latin

M'entends-tu, mon Dieu ?

Jamais de ma vie je ne T'ai parlé, mais aujourd'hui je veux Te saluer. Tu sais que depuis ma plus tendre enfance on m'a dit que Tu n'existais pas, et moi j'étais si bête que je l'ai cru.

Jamais je n'avais eu conscience de la beauté de Ta création. Aujourd'hui, soudain, en voyant les profondeurs de l'immensité, ce ciel étoilé au-dessus de moi, mes yeux se sont ouverts. Émerveillé, j'ai compris sa lumière. Comment ai-je pu être si cruellement trompé ?

Je ne sais pas, Seigneur, si Tu me tends la main, mais je Te confie ce miracle et Tu comprendras : au fond de ce terrible enfer, la lumière a jailli en moi et je T'ai vu. Je ne Te dirai rien de plus, seulement la joie de Te connaître. À minuit, nous devons passer à l'attaque mais je n'ai pas peur. Tu nous regardes. Écoute ! C'est le signal. Que faire ? J'étais si bien avec Toi. Je veux te dire encore ceci : Tu sais que le combat sera mauvais. Peut-être que cette nuit, je frapperai chez Toi. Bien que je n'aie jamais été Ton ami, me permettras-Tu d'entrer quand j'arriverai ? Mais je ne pleure pas, Tu vois ce qui m'arrive, mes yeux se sont ouverts. Pardonne-moi, Dieu. Je pars et je ne reviendrai sûrement pas, mais quel miracle ! Je n'ai plus peur de la mort.

> Prière trouvée dans la poche d'un soldat russe
> tué pendant la Seconde Guerre mondiale.

Se préparer à mourir est une mission qui nous échoit d'un point de vue non seulement spirituel, mais aussi psychologique.

> ANSELM GRÜN
> moine bénédictin allemand

Le bon Dieu ne saurait inspirer de désirs irréalisables, je puis donc malgré ma petitesse aspirer à la sainteté.

> SAINTE THÉRÈSE DE L'ENFANT JÉSUS
> mystique française

Pourquoi tant se préoccuper de son avenir et être si peu soucieux de son éternité ?

> JEAN-YVES LELOUP
> philosophe et écrivain français

Tout pardon est un don fait à soi-même.

> UN COURS EN MIRACLES

Notre nature supérieure est amour et le désir de faire le bien est beaucoup plus fort que celui de faire le mal. En faisant le bien, nous l'amplifions en nous-mêmes et chez les autres.

PAUL BEAUDRY
auteur québécois

Seigneur, fais de moi un instrument de ta paix. Là où est la haine, que je mette l'amour. Là où est l'offense, que je mette le pardon.

Là où est la discorde, que je mette l'union. Là où est l'erreur, que je mette la vérité. Là où est le doute, que je mette la foi.

Là où est le désespoir, que je mette l'espérance. Là où sont les ténèbres, que je mette la lumière. Là où est la tristesse, que je mette la joie.

Ô Seigneur, que je ne cherche pas tant à être consolé qu'à consoler, à être compris qu'à comprendre, à être aimé qu'à aimer.

Car c'est en se donnant que l'on reçoit, c'est en oubliant qu'on se retrouve soi-même.

C'est en pardonnant que l'on obtient

le pardon, c'est en mourant que l'on res-
suscite à la Vie. Amen.

Prière attribuée à SAINT FRANÇOIS D'ASSISE

Heureux les humbles de cœur et d'esprit, car le royaume des cieux est à eux !

Heureux les affligés, car ils seront
consolés !

Heureux les doux paisibles, car ils hé-
riteront de la terre !

Heureux ceux qui ont faim et soif de
la justice, car ils seront rassasiés !

Heureux les miséricordieux, car ils ob-
tiendront miséricorde !

Heureux ceux qui ont le cœur pur, car
ils verront Dieu !

Heureux ceux qui amènent la paix, car
ils seront appelés enfants de Dieu !

Heureux ceux qui sont persécutés
pour la justice, car le royaume des cieux
est à eux ! Vous êtes le sel de la terre...

Vous êtes la lumière du monde...

Que votre lumière luise ainsi devant
les hommes, afin qu'ils voient vos bonnes
œuvres, et qu'ils glorifient votre Père qui
est dans les cieux.

Donne à celui qui te demande, et ne

te détourne pas de celui qui veut emprunter de toi.

Aimez vos ennemis, bénissez ceux qui vous maudissent, faites du bien à ceux qui vous haïssent, et priez pour ceux qui vous maltraitent et qui vous persécutent, afin que vous soyez fils et fille de votre Père qui est dans les cieux.

Ne jugez point les autres, afin de ne point être jugés.

Demandez et l'on vous donnera ; cherchez et vous trouverez ; frappez et l'on vous ouvrira.

Faites pour les autres tout ce que vous voudriez qu'ils fassent pour vous, car c'est là tout l'enseignement de la Loi et des prophètes.

Allez, et apprenez ce que signifie : Je prends plaisir à la miséricorde, et non aux sacrifices. Je ne suis pas venu appeler le juste, mais retrouver l'égaré.

Évangile selon Saint Matthieu

Bonne est l'action qui n'amène aucun regret et dont le fruit est accueilli avec joie et sérénité.

Bouddha

Les gens les plus beaux que nous avons connus sont ceux et celles qui ont connu la défaite, la souffrance, le combat, la perte et qui ont trouvé le chemin pour s'en sortir. Ces personnes ont développé une appréciation, une sensibilité et une compréhension de la vie qui les remplit de compassion, de gentillesse et d'une empathie profonde basée sur l'amour. Les belles personnes ne sont pas le fruit du hasard.

ELISABETH KÜBLER-ROSS
psychiatre et psychologue américaine

J'ai souffert, c'est vrai. Mais les choses passées n'ont plus de prise sur moi. Du moins leur ai-je survécu. Et je peux être fier de leur avoir tenu bon. Libre à moi désormais de vivre selon mon goût. Dois-je accepter que le passé gouverne le restant de mes jours ou dois-je y mettre un point final et me consacrer pleinement au présent ? À moi de décider. Le passé ne peut me dominer que si je l'y autorise.

ANSELM GRÜN
moine bénédictin allemand

On n'a que le bonheur qu'on peut comprendre.

MAURICE MAETERLINCK
écrivain belge

L'espèce de bonheur qu'il me faut n'est pas tant de faire ce que je veux, que de ne pas faire ce que je ne veux pas.

JEAN-JACQUES ROUSSEAU
écrivain et philosophe suisse

Un jeune homme entre en rêve dans un magasin. Derrière le comptoir se tient un ange.

Le jeune homme lui demande : « *Que vendez-vous ?* »

L'ange répond : « *Tout ce que vous désirez.* »

Alors le jeune homme commence à énumérer : « *Si vous vendez tout ce que je désire, alors j'aimerais bien la fin des guerres dans le monde, l'intégration dans la société de tous les marginaux, du travail pour tous les chômeurs, plus d'amour et de vie communautaire...* »

L'ange lui coupe la parole : « *Excusez-moi, Monsieur, mais ici nous ne vendons pas des fruits, nous ne vendons que des graines !* »

CONTE D'ALGÉRIE

Le bien ne suffit pas à assurer le bonheur, mais le mal suffit à assurer le malheur.

ARISTOTE
philosophe grec

Le plaisir peut s'appuyer sur l'illusion, mais le bonheur repose sur la réalité.

CHAMFORT
écrivain français

L'âme absout l'échec de celui qui n'atteint pas à la perfection, elle tolère la résistance à la lumière, elle respecte l'ignorance totale de la vérité absolue, les attachements mal placés et les errances perpétuelles.

THOMAS MOORE
psychothérapeute et écrivain américain

Si le bonheur extérieur n'est que hasard, le bonheur intérieur tu dois le construire toi-même.

JOHANN KASPAR LAVATER
écrivain et théologien suisse

J'ai découvert que ce qui crée un malaise, ce n'est pas tant les circonstances dans lesquelles nous nous trouvons mais la façon dont nous les affrontons.

ELIZABETH T. KING

Le bonheur, c'est la somme de tous les malheurs qu'on n'a pas.

MARCEL ACHARD
écrivain français

Krishna et Narada Muni font une promenade amicale et ce dernier prie Krishna de lui expliquer le phénomène de l'illusion matérielle. Comme ils avaient marché plusieurs kilomètres, Krishna s'arrête près d'une pierre pour s'asseoir et demande à son ami Narada d'aller d'abord lui chercher un peu d'eau au puits qui se trouve à l'entrée du village, quelques trois cents mètres plus loin. Empressé de satisfaire le Seigneur Krishna, Narada se dirige donc vers le puits mais quelqu'un y est déjà : une jeune demoiselle qui essaye de monter le seau d'eau et qui n'y arrive pas. Exaspéré d'attendre, Narada décide qu'il serait préférable de l'aider. Effectivement, la corde s'est emmêlée et il eut été impossible pour la jeune fille d'y arriver toute seule. Elle est très belle et une douce fragrance de jasmin émane de sa peau dorée. Timide, elle remercie Narada pour sa gentillesse et part avec sa cruche d'eau beaucoup trop lourde pour elle. Avec compassion, Narada décide de l'aider en portant le lourd fardeau à sa place. Sur le pas de la porte, le père de la jeune fille est inquiet mais, Narada le rassure tout de suite. Soulagé, le père invite Narada à partager leur humble repas. La nuit est douce et la conversation agréable. Les liens d'amitié se tissent immédiatement et bientôt, la jeune fille lui est promise en mariage. À peine quelques mois plus tard, ils sont mariés et bientôt un fils naît enfin de leur union bénie. La moisson est abondante et la famille s'agrandit. Dix ans plus tard, Narada est maintenant père de trois grands et beaux enfants. Un jour, une violente tempête s'élève et la pluie ne cesse de tomber. Bientôt, la rivière sort de son lit et emporte tout sur son passage. Narada, son épouse et ses enfants prennent refuge sur le toit de la maison qui, à son tour, est bientôt emportée par le courant. Quand un éclair effroyable déchire le ciel, Narada s'accroche de peine et de misère à une branche et laisse aller la main de son épouse et de ses fils qui se noient aussitôt. Éploré, sentant le courage l'abandonner, Narada coule aussi dans la rivière. Un dernier sursaut l'amène à s'agripper à une feuille de palmier... Puis tout disparaît et Narada se retrouve assis aux pieds de Krishna qui lui demande comment il a pu oublier de Lui apporter l'eau demandée. *« Tu vois, mon cher Narada, c'est ainsi qu'œuvre Maya, l'illusion, en cet univers de matière. »*

CONTE DE L'INDE

L'âme est indivisible et insoluble. Le feu ne l'atteint pas, elle ne peut être desséchée. Elle est immortelle et éternelle, omniprésente, inaltérable et fixe... Certains voient l'âme, et c'est pour eux une étonnante merveille ; ainsi également d'autres en parlent-ils et d'autres encore en entendent-ils parler. Il en est cependant qui, même après en avoir entendu parler, ne peuvent la concevoir. Celui qui siège dans le corps, ô Arjuna, est éternel, il ne peut jamais être tué. Tu n'as donc à pleurer personne.

BHAGAVAD GITA

En ma qualité de médecin, je suis convaincu qu'il est pour ainsi dire plus hygiénique d'entrevoir dans la mort un objectif à atteindre et que la résistance, au contraire, est une chose malsaine et anormale car elle prive de son dessein la seconde moitié de l'existence.

CARL GUSTAV JUNG
médecin, psychiatre et psychologue suisse

C'est le cœur qui sent Dieu, et non la raison.

BLAISE PASCAL
mathématicien, physicien et philosophe français

Une fois je m'étonnais de ce que le bon Dieu ne donne pas une gloire égale dans le ciel à tous les élus, et j'avais peur que tous ne soient pas heureux, alors Pauline me dit d'aller chercher le grand verre de papa et de le mettre à côté de mon tout petit dé, puis de les remplir d'eau, ensuite elle me demanda lequel était le plus plein. Je lui dis qu'ils étaient aussi pleins l'un que l'autre et qu'il était impossible de mettre plus d'eau qu'ils n'en pouvaient contenir. Ma Mère chérie me fit alors comprendre qu'au ciel le bon Dieu donnerait à ses élus autant de gloire qu'ils en pourraient contenir et qu'ainsi le dernier n'aurait rien à envier au premier.

SAINTE THÉRÈSE DE L'ENFANT JÉSUS
mystique française

Nous sommes dans l'état où se trouve notre pensée : dans l'anxiété si nous nous projetons dans notre futur, dans la mélancolie ou la nostalgie si nous retournons dans notre passé.

Seul le présent nous réserve la paix tant espérée.

PAUL BEAUDRY
auteur québécois

Les gens sont comme des vitraux. Ils brillent tant qu'il fait soleil, mais quand vient l'obscurité leur beauté n'apparaît que s'ils sont illuminés de l'intérieur.

ELISABETH KÜBLER-ROSS
psychiatre et psychologue américaine

Prendre son temps et profiter du temps sont deux notions contraires. En prenant le temps, en refusant de me laisser tyranniser par lui, je me dérobe à sa domination. Libéré de la contrainte d'agir à toute vitesse, je laisse sciemment couler le temps, ce temps que j'apprécie parce qu'il m'est offert, ce temps qui appartient à Dieu et à moi-même, et me permet d'accéder à mon moi véritable.

ANSELM GRÜN
moine bénédictin allemand

Le grand obstacle au bonheur, c'est de s'attendre à un trop grand bonheur.

BERNARD FONTENELLE
écrivain français

Chagrin et joie dépendent plus de ce que nous sommes que de ce qui nous arrive.

MULTATULI
poète et romancier néerlandais

L'argent ne refait pas
le bonheur !

Plusieurs philosophes du Moyen Âge enseignaient que la vie est essentiellement musicale et qu'il faut donc une véritable sensibilité musicale pour s'adonner à une réflexion philosophique sur la nature des choses. Pour le philosophe musicien, la beauté est plus convaincante que la vérité, le chant est plus expressif que le syllogisme, l'émotion produite par la seule présence d'un objet a plus de signification que sa compréhension.

THOMAS MOORE
psychothérapeute et écrivain américain

Ce n'est que dans la vieillesse que l'homme devient vraiment lui-même.

ROBERT CHARBONNEAU
écrivain québécois

Autant il est sûr que ceux qui ont des rancœurs vont ressentir de la culpabilité, autant il est certain que ceux qui pardonnent trouveront la paix.

UN COURS EN MIRACLES

L'égoïste est triste parce qu'il attend le bonheur.

ALAIN
philosophe français

Le bonheur ne s'écrit pas, il est comme les étoiles filantes : celui qui ne le voit pas ne le verra jamais.

HAFID AGGOUNE
écrivain français

Sur les flots, sur les grands chemins, nous poursuivons le bonheur. Mais il est ici, le bonheur.

HORACE
poète romain

La recherche du bonheur est la recherche de nous-mêmes. Le bonheur est différent pour chacun de nous ; il est différent comme les vocations : identique et uniforme, il serait sa propre négation.

JEAN PRIEUR
écrivain français

Je ne peux malheureusement acheter que ce qui est à vendre, sinon il y a longtemps que je me serais payé un peu de bonheur.

JEAN PAUL GETTY
industriel américain

On n'est délivré d'un amour que par un plus grand amour.

JEAN-YVES LELOUP
philosophe et écrivain français

Qui se dégage de son ego n'est contraint de perdre ni ses relations ni son savoir, mais il cesse d'en faire dépendre sa valeur d'être humain.

ANSELM GRÜN
moine bénédictin allemand

Mourir, mais c'est la dernière chose à faire.

ANDRÉ WURMSER
écrivain français

Un jour, un fermier reçoit en cadeau pour son fils un cheval blanc. Son voisin vient vers lui et lui dit: « *Vous avez beaucoup de chance. Ce n'est pas à moi que quelqu'un offrirait un aussi beau cheval blanc !* »

Le fermier répond: « *Je ne sais pas si c'est une bonne ou une mauvaise chose...* »

Plus tard, le fils du fermier monte le cheval et celui-ci rue et éjecte son cavalier. Le fils du fermier se brise la jambe. « *Oh, quelle horreur !* dit le voisin. *Vous aviez raison de dire que cela pouvait être une mauvaise chose. Assurément, celui qui vous a offert le cheval l'a fait exprès pour vous nuire. Maintenant votre fils est estropié à vie !* » Le fermier ne semble pas gêné outre mesure. « *Je ne sais pas si c'est une bonne ou une mauvaise chose* », lance-t-il.

Là-dessus la guerre éclate et tous les jeunes sont mobilisés, sauf le fils du fermier avec sa jambe brisée. Le voisin revient alors et dit : « *Votre fils sera le seul du village à ne pas partir à la guerre, assurément il a beaucoup de chance.* » Et le fermier de répéter: « *Je ne sais pas si c'est une bonne ou une mauvaise chose.* »

CONTE DE L'INDE

L'extraordinaire nous attire un instant, la simplicité nous retient plus longtemps, parce que c'est en elle seule que réside l'essentiel.

GARRY WINOGRAND
photographe américain

J'arrive à comprendre qu'il soit possible de regarder la terre et d'être athée ; mais je ne comprends pas qu'on puisse lever, la nuit, les yeux sur le ciel et dire qu'il n'y a pas de Dieu.

ABRAHAM LINCOLN
16e président des États-Unis

Nul ne peut atteindre l'aube sans passer par le chemin de la nuit.

KHALIL GIBRAN
poète libanais

Souviens-toi qu'au moment de ta naissance tout le monde était dans la joie et toi dans les pleurs. Vis de manière qu'au moment de ta mort tout le monde soit dans les pleurs et toi dans la joie.

PROVERBE ARABE

Il n'y a que deux conduites avec la vie : ou on la rêve ou on l'accomplit.

RENÉ CHAR
poète français

Les hommes sont tourmentés par les opinions qu'ils ont des choses, non par les choses mêmes.

MICHEL DE MONTAIGNE
écrivain et philosophe français

Si quelqu'un vous dit : « Je me tue à vous le répéter », laissez-le mourir.

JACQUES PRÉVERT
poète français

À la première coupe, l'homme boit le vin ; à la deuxième coupe, le vin boit le vin ; à la troisième coupe, le vin boit l'homme.

PROVERBE JAPONAIS

Le vrai bonheur est sans doute dans la simplicité des cœurs, loin des vanités et des fausses ambitions.

PAUL JAVOR
poète tchèque

Les humbles travaux quotidiens, la simplicité de la vie, les modestes joies qu'on se tisse dans la couleur du temps qui passe, tout cela ressemble étrangement au bonheur.

ÈVE BÉLISLE
romancière et poète québécoise

Le bonheur ne consiste pas à acquérir et à jouir, mais à ne rien désirer, car il consiste à être libre.

ÉPICTÈTE
philosophe grec

Le bonheur, c'est d'être heureux ; ce n'est pas de faire croire aux autres qu'on l'est.

JULES RENARD
écrivain français

Il n'y a pas d'attitude juste, il n'y a que des attitudes qui s'ajustent.

JEAN-YVES LELOUP
philosophe et écrivain français

Le silence nous permet de percevoir plusieurs sons qui autrement nous échapperaient : le chant des oiseaux, le murmure de l'eau, le vent dans les arbres, le coassements des grenouilles et le bourdonnement des insectes. Il nous permet d'entendre notre voix intérieure et de prendre conscience de nos rêves éveillés, de nos intuitions, de nos inhibitions et de nos désirs secrets.

On ne cultive pas le silence en forçant ses oreilles à ne rien entendre, mais en prêtant l'oreille aux chants du monde et de l'âme.

THOMAS MOORE
psychothérapeute et écrivain américain

Au fond de toi se trouve tout ce qui est parfait, prêt à rayonner à travers toi et jusque dans le monde.

UN COURS EN MIRACLES

J'ai appris que gagner sa vie n'est pas la même chose que de « vivre sa vie ».

ANONYME

Erik Satie disait :

« Gagner sa vie en jouant
du piano, c'est savoir compter
sur ses doigts. »

Quand on cède à la peur du mal, on ressent déjà le mal de la peur.

PIERRE-AUGUSTIN CARON DE BEAUMARCHAIS
écrivain français

Seul l'ignorant se fâche, le sage comprend.

SAGESSE DE L'INDE

L'eau ne reste pas sur les montagnes ni la vengeance sur un grand cœur.

SAGESSE CHINOISE

Je mets ensemble les notes qui s'aiment.

WOLFGANG AMADEUS MOZART
compositeur

Qui ne peut voir un autre monde est aveugle. Qui ne sait dire un mot gentil, quand il le faut, est muet. Qui est tourmenté par un trop grand désir est pauvre. Celui dont le cœur est content est riche.

SAGESSE DE L'INDE

On n'apprend pas à mourir en tuant les autres.

FRANÇOIS-RENÉ DE CHATEAUBRIAND
écrivain français

Développe en toi l'indépendance à tout moment, avec bienveillance, simplicité et modestie.

MARC AURÈLE
empereur romain

Le bon vivant n'est pas celui qui mange beaucoup, mais celui qui goûte avec bonheur à toutes les formes de la vie.

JEAN GASTALDI
auteur français

Le bonheur d'un ami nous enchante. Il nous ajoute. Il n'ôte rien. Si l'amitié s'en offense, elle n'est pas.

JEAN COCTEAU
poète français

Qui s'assied au fond d'un puits pour contempler le ciel le trouvera petit.

HANG YÜ
philosophe chinois

Les beaux chemins ne mènent pas loin.

ANONYME

On ne fait jamais d'erreur sans se tromper.

JACQUES PRÉVERT
poète français

Essentiellement, toute guérison est délivrance de la peur.

UN COURS EN MIRACLES

Si l'on est assez vieux, alors on a l'impression que l'existence entière, avec ses joies et ses souffrances, ses amours et ses découvertes, ses amitiés, ses liaisons, les livres, la musique, les voyages et le travail ne constitue rien d'autre qu'un long détour menant à l'éclosion de ces instants où Dieu se révèle, où le sens et la valeur de tout ce qui existe et se produit s'offrent à nous à travers la forme d'un paysage, d'un arbre, d'un visage, d'une fleur.

HERMANN HESSE
romancier et poète allemand

La simplicité n'est pas un but dans l'art, mais on arrive à la simplicité malgré soi en s'approchant du sens réel des choses.

CONSTANTIN BRANCUSI
sculpteur roumain

Les larmes sont à l'âme ce que le savon est au corps.

PROVERBE JUIF

Et Dieu dit : « *Je me cacherai dans le cœur de l'homme ; c'est le seul endroit où il oubliera de me chercher.* »

PROVERBE DE L'INDE

Soyez assis avec toute la majesté inaltérable et inébranlable de la montagne. Laissez votre esprit s'élever, prendre son essor et planer dans le ciel.

SOGYAL RINPOCHÉ
lama Dzogchen tibétain

L'idéal est pour nous ce qu'est une étoile pour le marin. Il ne peut être atteint mais il demeure un guide.

ALBERT SCHWEITZER
médecin, philosophe et musicien allemand

Voulez-vous qu'on croie du bien de vous ? N'en dites point !

BLAISE PASCAL
mathématicien et philosophe français

J'ai trouvé Dieu dans les flaques d'eau, dans le parfum du chèvrefeuille, dans la pureté de certains livres et même chez des athées. Je ne l'ai presque jamais trouvé chez ceux dont le métier est d'en parler.

CHRISTIAN BOBIN
écrivain français

La prière n'a de sens que dans le face-à-face paradoxal qui met en présence, d'une part, la misère et les aspirations humaines et, d'autre part, le caractère infini de la divinité.

THOMAS MOORE
psychothérapeute et écrivain américain

Le jour de votre naissance, vous avez commencé à mourir : ne perdez plus un seul instant.

DILGO KHYENTSÉ RINPOCHÉ
maître tibétain

Si tu ne marches que les jours de beau temps, tu n'arriveras jamais à destination.

PROVERBE CHINOIS

Éphémères joies et peines, comme étés et hivers vont et viennent ; ils ne sont dus qu'à la rencontre des sens avec la matière et il faut apprendre à les tolérer sans en être affecté.

BHAGAVAD GITA

Qui donne ne doit jamais s'en souvenir. Qui reçoit ne doit jamais oublier.

PROVERBE HÉBREU

La richesse est un voile qui couvre bien des plaies.

MÉNANDRE
auteur comique grec

Riche homme ne sait qui lui est ami.

PROVERBE FRANÇAIS

Un incroyant plein de vie, d'amour et de lumière est sans doute plus près du Logos, plus « chrétien », qu'un croyant qui désespère de la vie, qui doute de la puissance d'amour qui est en lui et qui ne cherche plus la lumière.

JEAN-YVES LELOUP
philosophe et écrivain français

L'amour-propre est un curieux animal qui peut dormir sous les coups les plus cruels mais s'éveille, blessé à mort, par une simple égratignure.

ALBERTO MORAVIA
écrivain italien

Tant d'hommes que l'on croit heureux parce qu'on ne les voit que passer...

ASTOLPHE DE CUSTINE
écrivain français

On vit très bien dans l'avenir.

HENRI CALET
écrivain français

Je connais trop les hommes pour ignorer que souvent l'offensé pardonne, mais que l'offenseur ne pardonne jamais.

JEAN-JACQUES ROUSSEAU
écrivain et philosophe suisse

Deviens ce que tu es.
Fais ce que toi seul peut faire.

FRIEDRICH NIETZSCHE
philosophe et poète allemand

Rien ne concourt davantage à la paix de l'âme que de n'avoir point d'opinion.

GEORG CHRISTOPH LICHTENBERG
philosophe, écrivain et physicien allemand

Si vous aspirez à la pureté spirituelle de votre vie, alors vous devez, plus que la plupart, cultiver les honnêtes plaisirs de ce monde.

THOMAS MOORE
psychothérapeute et écrivain américain

Un homme et son chien marchaient le long d'une route.

L'homme admirait le paysage quand tout à coup il réalisa qu'en fait, il était mort et que son chien aussi était mort depuis des années.

Il se demandait où le chemin les amènerait. Après un moment, ils approchèrent d'un rocher blanc. Celui-ci ressemblait à une bille. Une fois au sommet, il vit qu'il était fendu et qu'une lumière en jaillissait.

Quand il s'approcha, il vit que c'était une route en or pur qui menait à une magnifique porte recouverte de perles. L'homme et son chien marchèrent jusqu'à cette porte où un autre homme était assis à une table.

Il demanda à l'homme : « *Où sommes-nous ?* »

« *Vous êtes ici au paradis, monsieur.* »

« *Ça par exemple ! Auriez-vous de l'eau, s'il vous plaît ?* »

« *Bien sûr ! Entrez, je vous fais apporter de l'eau froide immédiatement.* »

L'homme fit un geste et la porte s'ouvrit toute grande.

« *Est-ce que mon chien peut entrer ?* » demanda-t-il en montrant son chien.

« *Je suis désolé, monsieur, mais nous n'acceptons pas les animaux.* »

L'homme réfléchit et décida de reprendre le chemin.

Après une longue marche, au sommet

d'une colline, il croisa une route de terre qui le mena à une vieille porte de grange qui avait l'air de n'avoir jamais été fermée. Il n'y avait aucune clôture pour délimiter le terrain.

Alors qu'il s'approchait, il vit un homme qui lisait un livre, appuyé sur un arbre.

« *Excusez-moi, monsieur, auriez-vous de l'eau, s'il vous plaît ?* »

« *Certainement, il y a une pompe à l'intérieur. Entrez, je vais vous la montrer.* »

« *Est-ce que mon ami peut venir ?* »

« *Bien sûr, il doit y avoir un bol près de la pompe.* »

Ils entrèrent et virent la vieille pompe et un bol à ses côtés. L'homme remplit le bol, prit une gorgée et donna le reste au chien. Quand ils eurent fini, ils retournèrent voir l'homme qui était retourné près de l'arbre.

« *Comment appelez-vous cet endroit paisible ?* »

« *Mais c'est le paradis !* »

« *C'est étrange. L'homme que nous avons rencontré un peu plus tôt nous a dit la même chose.* »

« *Ah ! Vous parlez du chemin en or et de la*

porte avec des perles ? Non, ça c'est l'enfer. »

« Mais ça ne vous offusque pas qu'il utilise le paradis comme nom? »

« Non, mais je comprends que vous me posiez la question. Nous sommes seulement heureux qu'il n'attire que les gens qui acceptent de laisser leurs amis derrière eux. »

CONTE DE L'INDE

La meilleure façon de ne pas avancer est de suivre une idée fixe.

JACQUES PRÉVERT
poète français

L'essentiel est sans cesse menacé par l'insignifiant.

RENÉ CHAR
poète français

On apprend peu par la victoire, mais beaucoup par la défaite.

PROVERBE JAPONAIS

Ceux qui se voient entiers n'exigent rien.

UN COURS EN MIRACLES

L'homme le plus heureux est celui qui fait le bonheur d'un plus grand nombre d'autres.

DENIS DIDEROT
philosophe et écrivain français

Faites en sorte que les vaincus puissent se féliciter de vous avoir pour vainqueur.

OU-TSE
écrivain chinois

Un homme n'est pas malheureux parce qu'il a de l'ambition, mais parce qu'il en est dévoré.

MONTESQUIEU
écrivain français

Les chanceux sont ceux qui arrivent à tout ; les malchanceux, ceux à qui tout arrive.

EUGÈNE LABICHE
dramaturge français

N'estime l'argent ni plus ni moins qu'il ne vaut : c'est un bon serviteur et un mauvais maître.

ALEXANDRE DUMAS FILS
écrivain français

On dit que l'éternité,
c'est une fin en soi...

Pour modifier sa vision du monde, il est plus efficace de commencer par modifier sa façon d'agir.

PAUL WATZLAWICK
psychothérapeute et psychologue autrichien

Le sage se demande à lui-même la cause de ses fautes, l'insensé la demande aux autres.

PROVERBE CHINOIS

Quand j'étais petit, ma mère me disait toujours que le bonheur était la clé de la vie. Un jour, à l'école, on me demanda ce que je voulais devenir plus tard. Alors j'ai écrit « heureux ». Ils m'ont dit que je ne comprenais pas la consigne... Je leur ai répondu qu'ils ne comprenaient pas la vie.

ANONYME

Le cœur humain est l'un des rares instruments qui continuent de fonctionner, même brisés.

ANONYME

Exister, c'est coexister.

GABRIEL MARCEL
philosophe français

Une mauvaise herbe est une plante dont on n'a pas encore trouvé les vertus.

RALPH WALDO EMERSON
philosophe et poète américain

Un jour, quelqu'un vint trouver Socrate et lui dit : « *Sais-tu ce que je viens d'apprendre sur ton ami ?* » « *Un instant*, répondit Socrate. *Avant que tu me racontes, j'aimerais te faire passer un test, celui des trois passoires.* »

« *Les trois passoires ?* »

« *Avant de me raconter toutes sortes de choses sur les autres, il est bon de prendre le temps de filtrer ce que l'on aimerait dire. C'est ce que j'appelle le test des trois passoires.*

« *La première passoire est celle de la vérité. As-tu vérifié si ce que tu veux me dire est vrai ?* »

« *Non. J'en ai simplement entendu parler...* »

« *Très bien. Tu ne sais donc pas si c'est la vérité. Essayons de filtrer autrement en utilisant une deuxième passoire, celle de la bonté. Ce que tu veux m'apprendre sur mon ami, est-ce quelque chose de bon ?* »

« *Ah non ! Au contraire.* »

« *Donc*, continua Socrate, *tu veux me raconter de mauvaises choses sur lui et tu n'es même pas certain qu'elles soient vraies.*

« *Tu peux peut-être encore passer le test, car il reste une passoire, celle de l'utilité. Est-*

il utile que tu m'apprennes ce que mon ami aurait fait ? »

« *Non. Pas vraiment.* »

« *Alors,* conclut Socrate, *si ce que tu as à me raconter n'est ni vrai, ni bien, ni utile, pourquoi vouloir me le dire ?* »

PARABOLE DE SOCRATE

La démocratie, d'après l'idée que je m'en fais, devrait assurer au plus faible les mêmes opportunités qu'au plus fort.

MAHATMA GANDHI
sage et politicien indien

Signe ce que tu éclaires, non ce que tu assombris.

RENÉ CHAR
poète français

À propos de chaque désir, il faut se poser cette question : quel avantage en résultera-t-il si je ne le satisfais pas ?

ÉPICURE
philosophe grec

Le bonheur est une chose bizarre. Les gens qui ne l'ont jamais connu ne sont peut-être pas réellement malheureux.

LOUIS BROMFIELD
écrivain américain

Nous avons beaucoup d'écrits au style mordant, où l'on se refuse à convenir qu'il existe un dieu. Mais nul athée, autant que je sache, n'a réfuté de façon probante l'existence du diable.

HEINRICH VON KLEIST
écrivain allemand

Celui qui ne sait pas ce que c'est que la vie, comment saura-t-il ce que c'est que la mort ?

CONFUCIUS
philosophe et politicien chinois

C'est une vaine ambition que de tâcher de ressembler à tout le monde, puisque tout le monde est composé de chacun et que chacun ne ressemble à personne.

ANDRÉ GIDE
écrivain français

Quand les riches se font la guerre, ce sont les pauvres qui meurent.

JEAN-PAUL SARTRE
philosophe et écrivain français

Dans toutes les larmes s'attarde un espoir.

SIMONE DE BEAUVOIR
romancière et essayiste française

Dieu est derrière tout, mais tout cache Dieu.

VICTOR HUGO
poète et écrivain français

Évidemment Dieu n'existe pas ! S'Il existait comme tout ce qui existe, Il serait voué tôt ou tard à disparaître, on n'aurait pas besoin de ces modes subtils de connaissance que sont la foi et la gnose, la science suffirait à le montrer ou à le démontrer. Il n'existe pas. *Il Est.*

JEAN-YVES LELOUP
philosophe et écrivain français

C'est en s'ouvrant au mystère de l'Être et de sa totalité que l'homme peut accéder au sens ontologique qu'expriment les poètes, car l'homme est le seul étant qui est ouvert à ce qui est autre que lui-même.

MARTIN HEIDEGGER
philosophe allemand

Il n'y a point de vieille femme. Toute, à tout âge, si elle aime, si elle est bonne, donne à l'homme le moment de l'infini.

JULES MICHELET
historien français

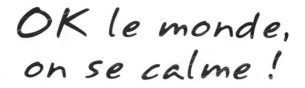

OK le monde,
on se calme !

Un seul oiseau en cage et la liberté est en deuil.

JACQUES PRÉVERT
poète français

Aimer un être, c'est lui dire : « *Toi, tu ne mourras pas !* »

GABRIEL MARCEL
philosophe français

Deux sages discutaient un jour de philosophie.

« *Pourquoi l'homme n'a-t-il jamais ce qu'il désire ?* » demanda le premier.

« *C'est simple*, répondit l'autre. *S'il désirait ce qu'il possède, il aurait ce qu'il veut, mais il ne veut jamais ce qu'il a, c'est pourquoi il n'a jamais ce qu'il désire.* »

DEN ZIMET
chanteur yiddish canadien

Le bien qu'on a fait la veille devient le bonheur du lendemain.

PROVERBE HINDOU

Écoute l'avis des autres, ensuite réfléchis seul, puis fais ce que tu juges le plus utile.

SAINT BENOÎT

Un enfant demande à son père :

« *Dis papa, quel est le secret pour être heureux ?* »

Alors le père demande à son fils de le suivre. Ils sortent de la maison, le père sur leur vieil âne et le fils suivant à pied. Et les gens du village de dire :

« *Mais quel mauvais père qui oblige ainsi son fils à aller à pied !* »

« *Tu as entendu, mon fils ? Rentrons à la maison* », dit le père.

Le lendemain, ils sortent de nouveau, le père ayant installé son fils sur l'âne et lui marchant à côté. Les gens du village dirent alors :

« *Quel fils indigne, qui ne respecte pas son vieux père et le laisse aller à pied !* »

« *Tu as entendu, mon fils ? Rentrons à la maison.* »

Le jour suivant, ils s'installent tous les deux sur l'âne avant de quitter la maison. Les villageois commentèrent en disant :

« *Ils ne respectent pas leur bête en la surchargeant ainsi !* »

« *Tu as entendu, mon fils ? Rentrons à la maison.* »

Le jour suivant, ils partirent en portant eux-mêmes leurs affaires, l'âne trottinant derrière eux. Cette fois les gens du village y trouvèrent encore à redire :

« Voilà qu'ils portent eux-mêmes leurs bagages maintenant ! C'est le monde à l'envers ! »

« Tu as entendu, mon fils ? Rentrons à la maison. »

Arrivés à la maison, le père dit à son fils :

« Tu me demandais l'autre jour le secret du bonheur. Peu importe ce que tu fais, il y aura toujours quelqu'un pour y trouver à redire. Fais ce qui te plaît et tu seras heureux. »

CONTE AFRICAIN

Dans une cave, un diamant est un caillou. Sous les rayons du soleil, il devient un enchantement. Tous les êtres humains sont des diamants pour qui les aime.

JEAN HARANG

La peur est un vampire cruel et impassible qui se nourrit de notre espoir et de notre énergie vitale. La peur nous endort par la nostalgie du passé et la crainte de l'avenir tout en empoisonnant notre présent.

SWAMI SHANTI

Conduisez-vous envers les gens comme s'ils étaient ce qu'ils devraient être, et vous les aiderez à devenir ce qu'ils sont capables d'être.

JOHANN WOLFGANG VON GOETHE
poète et romancier allemand

Commence par faire le nécessaire, puis fais ce qu'il est possible de faire, et tu réaliseras l'impossible sans t'en apercevoir.

SAINT FRANÇOIS D'ASSISE

Il y a dans le silence une merveilleuse puissance de clarification, de purification, de concentration sur l'essentiel.

DIETRICH BONHOEFFER
théologien allemand

Pardonne : pense à tes torts et pense aux qualités de ton ennemi. Essaie de ne plus lui en vouloir. Aie le courage de faire le premier pas et de lui tendre la main. Va plus loin : fais-lui du bien et fais-t'en un ami. Tu connaîtras la plus grande fierté et la plus grande joie. Tu ne comprendras plus comment tu as pu souhaiter la vengeance.

J. CKESSOT

Éveillez-vous d'abord par vous-mêmes, ensuite cherchez un maître.

Proverbe chan

Pour accéder à la sagesse, il faut le vouloir.

Talmud

La souffrance propre est celle qui survient quand nous subissons une perte ou une blessure, comme la mort d'un être cher ou le malaise physique qui accompagne toute maladie. La souffrance sale est celle qui survient en raison de ce que nous pensons au sujet de ces événements ou d'autres événements, et qui ne comporte peut-être aucune blessure du tout. Si vous êtes un être humain normal typique, vous remarquerez que la souffrance sale prend largement le pas sur la souffrance propre. Autrement dit, la majeure partie de votre souffrance ne vient pas de la réalité, mais des histoires que vous brodez autour de la réalité.

Martha Beck
auteure américaine

Un jour où le vieux grand-père expliquait à son petit-fils ce qu'il sentait se passer dans son âme, voici les mots qu'il prononça :

« *Tu sais, mon petit Waka, tout au fond de moi, il y a un grand combat qui fait rage.* »

Pas bien sûr de comprendre ce que son grand-père lui disait, Waka ouvrit de grands yeux tout ronds, ceux des enfants qui découvrent quelque chose. Content de son effet, l'ancien poursuivit :

« *Oui ! Au fond de mon âme se battent deux grands loups. Deux loups gigantesques.* »

Les yeux du petit-fils s'agrandirent encore, captivé qu'il était par les paroles de son grand-père.

« *Dis, grand-père, pourquoi ils se battent, les loups ?* »

« *Parce qu'ils ne sont pas d'accord, ce sont deux loups très forts, tu sais. L'un est blanc, c'est l'amour, la compassion, l'inspiration, la sagesse, l'altruisme, la bonté. L'autre est noir, c'est la haine, l'avarice, le doute, l'ignorance, l'égoïsme, la méchanceté.* »

« *Ah ! Mais ils se battent tout le temps, tes loups ?* »

« *Oui, il n'y a jamais de trêve, et en plus, ils se battent aussi en toi.* »

« *En moi ?* »

« *Oui, en toi ! Et à l'intérieur de chaque personne que tu croiseras sur cette terre.* »

« *Mais dis-moi, grand-père, toi qui sais tellement de choses... Quel loup va gagner la bagarre ? Le sais-tu ?* »

Et là, le grand-père réfléchit un instant et dit :

« *C'est celui que tu nourris, mon petit...* »

CONTE AMÉRINDIEN

Un jour, le courage, plus courageux que d'habitude, décide de frapper à la porte de la peur.

« *Qui est là ?* » demande la peur.

« *C'est le courage !* » répond le courage.

« *Entrez !* » dit la peur.

Le courage ouvre la porte, derrière laquelle il n'y a personne...

ANONYME

Nos défauts et nos infirmités ne sont pas ridicules en eux-mêmes, mais ridicule est l'effort que nous déployons pour les dissimuler.

GIACOMO LEOPARDI
poète et philosophe italien

Au Liban vivaient un homme très riche et un homme très pauvre. Ils avaient chacun un fils. L'homme très riche monta avec son fils sur le sommet d'une colline, lui montra d'un geste le paysage tout autour d'eux et lui dit :

« *Regarde. Un jour, tout cela sera à toi.* »

L'homme très pauvre monta avec son fils au sommet de la même colline, lui montra le paysage tout autour et lui dit simplement : « *Regarde !* »

CONTE DU LIBAN

Un vieil Arabe à l'apparence misérable, mendiant sa vie, s'avançait dans les rues d'une ville. Personne ne lui prêtait la plus légère attention. Un passant lui dit avec un vrai mépris :

« *Mais que fais-tu ici ? Tu vois bien que personne ne te connaît.* »

Le pauvre regarda calmement le passant et lui répondit :

« *Que m'importe ? Je me connais moi-même, et cela me suffit. C'est le contraire qui serait une horreur : que tous me connaissent, et que je m'ignore.* »

CONTE DU MAROC

Un jour, un paysan perdit sa hache. Il la chercha dans sa maison, mais vainement. Il aperçut alors un de ses voisins qui passait en détournant son regard et le soupçonna aussitôt de lui avoir volé sa hache.

L'homme, en effet, avait tout du comportement d'un voleur de hache. Son visage, son air, son attitude, ses gestes, les paroles qu'il prononçait, tout révélait en lui, à n'en pas douter, un voleur de hache.

Le paysan était sur le point de le dénoncer, de l'accuser publiquement et de le traîner devant un juge, quand il retrouva sa hache, qui était tombée dans des broussailles, non loin de là.

Quand il revit son voisin, celui-ci ne présentait plus le moindre indice qui pût évoquer en lui un voleur de hache.

LAO TSEU
philosophe chinois

Lorsque l'homme aura coupé le dernier arbre, pollué la dernière goutte d'eau, tué le dernier animal et pêché le dernier poisson, alors il se rendra compte que l'argent n'est pas comestible.

PROVERBE DE L'INDE

La conquête de l'espace :
toute la sagesse de l'homme
au service de l'univers !

Si tu vas au bout du monde, tu trouves les traces de Dieu ; si tu vas au fond de toi, tu trouves Dieu lui-même.

MADELEINE DELBRÊL
mystique française

Un jour, assis sur le pas de la porte d'une maison quelconque, Diogène était en train de manger un plat de lentilles.

Dans tout Athènes, il n'y avait pas de nourriture moins chère que les lentilles.

Autrement dit, cela revenait à connaître une situation d'extrême précarité.

Un ministre de l'empereur passa par là et lui dit : « *Pauvre Diogène ! Si tu apprenais à être plus soumis et à flatter un peu l'empereur, tu n'avalerais pas autant de lentilles.* »

Diogène cessa de manger, leva les yeux et, regardant intensément son riche interlocuteur, répondit :

« *Pauvre de toi, mon frère. Si tu apprenais à consommer un peu de lentilles, tu n'aurais pas besoin d'être soumis et de flatter autant l'empereur.* »

ANTIQUITÉ GRECQUE

L'espérance est le songe d'un homme éveillé.

ARISTOTE
philosophe grec

Il était une fois un petit royaume où régnait un vieux roi respecté de ses sujets. Sans prince héritier, il voulait trouver un fiancé pour sa fille de dix ans.

Il fit sélectionner un certain nombre d'adolescents, tous plus doués les uns que les autres, les réunit dans son palais et remit à chacun d'eux un sachet de graines.

L'année suivante, au jour fixé, tous les garçons apportèrent au palais les fleurs qu'ils avaient cultivées.

Dans la grande salle du trône parfumée de verdure, les plantes étaient magnifiques et les fleurs superbes.

Le roi et la reine passèrent lentement en revue les rangées de pots, la mine grave et soucieuse.

Soudain ils s'arrêtèrent devant un adolescent triste et timoré, qui avait les larmes aux yeux.

« *Majestés*, dit-il, *je ne comprends pas ce qui est arrivé. J'ai demandé autour de moi de la meilleure terre et des meilleurs engrais, j'ai suivi tous les bons conseils, j'ai pris le plus grand soin de vos graines, hélas rien n'a poussé. Je suis honteux d'avoir échoué, je suis venu seulement pour ne pas jeter le déshonneur sur ma famille et sur mon village.*

Le roi lui annonça gentiment :
« *C'est toi, le fiancé de la princesse.* »

Des murmures de surprise, de déception, voire même de désapprobation, parcoururent la foule, mais personne n'osa contester la sentence royale.

Depuis ce jour le petit garçon vécut au palais où il reçut l'éducation d'un prince héritier.

Puis il monta sur le trône et régna longtemps.

Au soir de leur vie, la princesse qui était devenue reine lui dévoila enfin le choix de ses parents :

« *Avant de mettre les graines en sachets, ma mère les avait cuites à la vapeur. Pour réussir, les autres garçons étaient certainement malins et débrouillards, ou on les avait trop bien aidés. Mais ils n'avaient pas deviné que par cette épreuve mon père voulait trouver un fils honnête, en qui il pourrait mettre toute sa confiance, ni plus ni moins. Ensuite il aurait tout le loisir de le former, pour en faire un prince puis un roi.* »

Le vieux roi soupira :

« *J'ai été choisi parce que j'ai bien répondu à la question, alors que je n'avais nulle conscience de l'existence de cette question. C'était donc un coup de dé ! »*

La reine le rassura doucement :

« Ne te tracasse pas vainement, à leurs yeux tu étais le plus digne de tous et jamais ils n'ont eu de doute à ton sujet. »

Le zen, c'est cela, mystérieux et ordinaire.

KHOA NGUYEN

On n'est jamais si malheureux qu'on croit, ni si heureux qu'on l'avait espéré.

FRANÇOIS DE LA ROCHEFOUCAULD
écrivain français

La Terre n'appartient pas à l'homme, c'est l'homme qui appartient à la Terre.

SITTING BULL
chef de tribu et médecin sioux

Il vaut mieux suivre le bon chemin en boitant que le mauvais d'un pas ferme.

SAINT AUGUSTIN

C'est quand on n'a plus d'espoir qu'il ne faut désespérer de rien.

SÉNÈQUE
philosophe latin

Nous sommes tous égaux devant l'inégalité qui régit notre planète.

JACQUES STERNBERG
romancier et journaliste français

Le jeune moine s'occupe du jardin avec soin et attention. Il préférerait être plus souvent au temple pour recevoir l'enseignement du vieux maître, mais le jardin demande beaucoup de temps. Aussi, c'est avec une certaine gêne qu'il reçoit la visite du maître...

« *Quel caillou obstrue l'écoulement de ton esprit ?* »

Le jeune disciple ne sait s'il doit oser.

« *J'aimerais pouvoir écouter et entendre votre enseignement plus souvent, mais le jardin demande beaucoup de temps...* »

Le vieux maître sourit.

« *Au début, je t'ai montré comment jardiner et tu m'as écouté. Puis petit à petit, tu as fait tes propres expériences ; tu as vu que ce que je disais pouvait être perçu différemment. Tu as même remis en cause mes indications. Tu as fait ce qui te semblait approprié et juste. Tu as fait ton jardin. La graine qui pousse imite celles qui l'ont devancée, mais la plante qu'elle donnera sera unique...* »

Le jeune moine comprend que l'enseignement est partout : au temple, au jardin, dans la forêt, en chemin, dans le silence, dans les petites et les grandes choses. Toutes les graines ne donnent pas d'immenses arbres mais chacune a sa raison d'être, sa place, son rôle.

Le maître sourit, comme s'il entendait les pensées du jeune homme. Tous deux gardent le silence, leurs regards enveloppant l'espace.

« *Quel magnifique jardin !* » dit le vieux maître...

CONTE ZEN

Rien n'exprime mieux la joie que le silence. Si j'ai pu dire combien grand était mon bonheur, c'est qu'il était petit.

WILLIAM SHAKESPEARE
poète, dramaturge et écrivain britannique

Ne pas avoir le temps de méditer, c'est n'avoir pas le temps de regarder son chemin, tout occupé à sa marche.

ANTONIN SERTILLANGES
philosophe français

Il ne faut pas empiéter sur l'avenir en demandant avant le temps ce qui ne peut venir qu'avec le temps.

ARTHUR SCHOPENHAUER
philosophe allemand

La jeunesse est le temps d'étudier la sagesse, la vieillesse est le temps de la pratiquer.

JEAN-JACQUES ROUSSEAU
écrivain et philosophe suisse

On devrait retaper notre pauvre planète, avant d'aller bousiller celle des autres.

BILL WATTERSON
dessinateur américain

Plus le visage est sérieux, plus le sourire est beau.

FRANÇOIS-RENÉ DE CHATEAUBRIAND
écrivain français

La liberté consiste à choisir entre deux esclavages : l'égoïsme et la conscience. Celui qui choisit la conscience est l'homme libre.

VICTOR HUGO
poète et écrivain français

Une joie partagée est une double joie, un chagrin partagé est un demi-chagrin.

JACQUES DEVAL
dramaturge français

Le spectacle de l'injustice m'accable, mais c'est probablement parce qu'il éveille en moi la conscience de la part d'injustice dont je suis capable.

GEORGES BERNANOS
écrivain français

Même dans la solitude, ne dis ni ne fais rien de blâmable. Apprends à te respecter beaucoup plus devant ta propre conscience que devant autrui.

DÉMOCRITE
philosophe grec

Que dit ta conscience ? Tu dois devenir qui tu es.

FRIEDRICH NIETZSCHE
philosophe et poète allemand

La vie spirituelle commence à partir du moment où nous découvrons que toute la réalité de nos actes réside dans les pensées qui les produisent.

LOUIS LAVELLE
philosophe français

L'homme qui se croit Dieu tue le dieu qu'il porte en lui.

LOUIS GAUTHIER
écrivain québécois

Sectaire : celui qui ne voit qu'une étoile dans le ciel.

ANDRÉ PRÉVOT
écrivain français

La sagesse des siècles nous apprend qu'il suffit d'approfondir une chose pour en connaître plusieurs autres.

DAN MILLMAN
écrivain américain

La science dit : « *Nous devons vivre* », et cherche le moyen de prolonger, d'approfondir, de faciliter et d'amplifier la vie, de la rendre tolérable et acceptable.

La sagesse dit : « *Nous devons mourir* », et cherche comment nous faire bien mourir.

MIGUEL DE UNAMUNO
poète, romancier et philosophe espagnol

Tout nuage n'enfante pas une tempête.

WILLIAM SHAKESPEARE
poète, dramaturge et écrivain britannique

L'art lave notre âme de la poussière du quotidien.

PABLO PICASSO
peintre espagnol

Diogène sommeillait contre le tronc d'un arbre lorsqu'un riche marchand passa près de lui.

« *Mes affaires se portent à merveille*, lui dit-il, *aussi, je voudrais t'en faire profiter. Prends cette bourse pleine de pièces.* »

Diogène le regarda sans faire un geste.

« *Allons*, lui dit le marchand, *prends-la. Je te la donne, car je sais que tu en as bien plus besoin que moi.* »

« *Ah bon*, lui dit Diogène, *tu as donc d'autres pièces comme celles-là.* »

« *Oui, bien sûr*, répondit en souriant le marchand. *J'en ai beaucoup d'autres.* »

« *Et tu n'aimerais pas en avoir encore beaucoup plus ?* »

« *Si, bien sûr !* »

« *Alors garde cette bourse et ces pièces, car tu en as plus besoin que moi.* »

ANTIQUITÉ GRECQUE

Sois sans temps !

CLAIRE DURAND
auteure québécoise

Pour moi la prière, c'est un élan du cœur, c'est un simple regard jeté vers le Ciel, c'est un cri de reconnaissance et d'amour au sein de l'épreuve comme au sein de la joie.

SAINTE THÉRÈSE DE L'ENFANT JÉSUS
mystique française

L'imagination introduit l'étrange dans le quotidien, le rêve dans la réalité, l'inattendu dans l'évidence, la vie dans le théâtre.

FERNANDO ARRABAL
écrivain et cinéaste espagnol

Bien des gens acceptent de faire de grandes choses. Peu se contentent de faire de petites choses au quotidien.

MÈRE TERESA
religieuse indienne d'origine albanaise

La vie quotidienne, si elle est sans compréhension, vous poussera à passer à côté de l'amour, de la beauté, de la mort.

KRISHNAMURTI
philosophe indien

Seul mérite l'amour et la vie celui qui quotidiennement doit les conquérir.

JOHANN WOLFGANG VON GOETHE
poète et romancier allemand

La découverte ou la redécouverte du spirituel aujourd'hui comme hier passe par une réconciliation avec le féminin.

GRAF DÜRCKHEIM
psychothérapeute et philosophe allemand

Il y a une place que je dois occuper, que personne d'autre ne peut occuper, une chose que je dois faire, que personne d'autre ne peut faire.

FLORENCE SCOVEL SHINN
auteure américaine

La décadence d'une société commence quand l'homme se demande : « *Que va-t-il arriver ?* » au lieu de se demander : « *Que puis-je faire ?* »

DENIS DE ROUGEMONT
écrivain et philosophe suisse

Il nous faut peu de mots pour exprimer l'essentiel.

PAUL ÉLUARD
poète français

La source de la peur est dans l'avenir, et qui est libéré de l'avenir n'a rien à craindre.

MILAN KUNDERA
écrivain tchèque et français

Fais du bien à ton corps pour que ton âme ait envie d'y rester.

PROVERBE DE L'INDE

Ne donnez pas d'explication, les amis vous comprennent et les ennemis ne vous croient pas.

ELBERT HUBBARD
écrivain américain

Dans un petit village côtier européen, un bateau rentre au port, ramenant beaucoup de poissons. Un Américain en vacances complimente le pêcheur sur la qualité de ses poissons et lui demande combien de temps il lui a fallu pour les capturer :

« *Pas très longtemps* », répond le pêcheur.

« *Mais, pourquoi n'êtes-vous pas resté en mer plus longtemps pour en attraper plus ?* » demande l'Américain. Le pêcheur répond que ces quelques poissons suffiront à subvenir aux besoins de sa famille.

L'Américain demande alors : « *Mais que faites-vous le reste du temps ?* »

« *Je fais la grasse matinée, je pêche un peu, je joue avec mes enfants, je fais la sieste avec ma*

femme. Le soir, je vais au village voir mes amis.
Nous buvons du vin et jouons de la guitare. J'ai
une vie bien remplie. »

L'Américain l'interrompt : « *J'ai un*
MBA de l'Université Harvard et je peux vous
aider. Vous devriez commencer par pêcher plus
longtemps. Avec les bénéfices dégagés, vous
pourriez acheter un plus gros bateau. Avec l'ar-
gent que vous rapporterait ce bateau, vous
pourriez en acheter un deuxième et ainsi de suite
jusqu'à ce que vous possédiez une flotte de cha-
lutiers. Au lieu de vendre vos poissons à un in-
termédiaire, vous pourriez négocier directement
avec l'usine, et même ouvrir votre propre usine.
Vous pourriez alors quitter votre petit village
pour Los Angeles et peut-être New York, d'où
vous dirigeriez toutes vos affaires. »

Le pêcheur demande alors : « *Combien*
de temps cela prendrait-il ? »

« *De 15 à 20 ans* », répond l'Américain.

« *Et après ? »*

« *Après, c'est là que ça devient intéressant* »,
répond l'Américain en riant.

« *Quand le moment sera venu, vous pourrez*
introduire votre société en bourse et vous gagne-
rez des millions. »

« *Des millions ? Mais après ? »*

« *Après, vous pourrez prendre votre re-*

traite, habiter dans un petit village côtier, faire la grasse matinée, jouer avec vos petits-enfants, pêcher un peu, faire la sieste avec votre femme et passer vos soirées à boire et à jouer de la guitare avec vos amis. »

ANONYME

Tzeu Koung demanda s'il existait un précepte qui renfermait tous les autres, et qu'on dût observer toute la vie. Le Maître répondit :

« *N'est-ce pas le précepte d'aimer tous les hommes comme soi-même ? Ne faites pas à autrui ce que vous ne voulez pas qu'on vous fasse à vous-même.* »

CONFUCIUS
philosophe et politicien chinois

Aucune paix n'est éternelle. Mais toute journée qui prolonge la paix est une bénédiction acquise.

KAJ MUNK
pasteur danois

L'avenir n'existe qu'au présent.

LOUIS SCUTENAIRE
poète et écrivain belge

Toute la cour est là, attendant l'arrivée du roi, quand un fakir soufi en haillons entre et va nonchalamment s'asseoir sur le trône. Le premier ministre n'en croit pas ses yeux.

« *Qui crois-tu être pour entrer ici et te conduire de cette manière ?* lui demande-t-il. *Te prendrais-tu pour un ministre ?* »

« *Un ministre ?* rétorque le soufi. *Non, je suis bien plus que cela.* »

« *Tu ne peux pas être le premier ministre, parce que le premier ministre, c'est moi. Serais-tu le roi ?* »

« *Non pas le roi. Plus que cela.* »

« *L'empereur ?* »

« *Non, encore plus !* »

« *Le Prophète, alors ?* »

« *Plus encore !* »

« *Serais-tu Dieu ?* »

« *Non, je ne suis pas Dieu. C'est encore bien plus que cela.* »

« *Mais il n'y a rien au-dessus de Dieu !* »

« *C'est exact*, répond le soufi. *Je suis ce Rien.* »

RAMESH BALSEKAR
sage indien

La colère est une courte folie.

HORACE
poète romain

128

L'intelligence artificielle n'a aucune chance contre la bêtise naturelle.

PIERRE DESPROGES
humoriste français

La musique chasse la haine chez ceux qui sont sans amour. Elle donne la paix à ceux qui sont sans repos, elle console ceux qui pleurent.

PABLO CASALS
violoncelliste et compositeur espagnol

La paix avec les autres, avec soi, est une victoire qu'on ne gagne qu'après s'être vaincu soi-même.

RENÉ OUVRARD
prêtre, écrivain et compositeur français

Admettez que cette situation adverse est bonne, ne soyez pas troublé et elle disparaîtra d'elle-même.

FLORENCE SCOVEL SHINN
auteure américaine

Nan-In, un maître japonais du XIXe siècle, reçut un jour la visite d'un professeur de la ville qui désirait s'informer à propos de la philosophie zen. Pendant que Nan-In silencieusement préparait le thé, le professeur étalait à loisir ses propres vues philosophiques. Lorsque le thé fut prêt, Nan-In se mit à verser le breuvage brûlant dans la tasse du visiteur, tout doucement. L'homme parlait toujours. Et Nan-In continua de verser le thé jusqu'à ce que la tasse déborde.

Alarmé à la vue du thé qui se répandait sur la table, ruinant la cérémonie du thé, le professeur s'exclama : « *Mais la tasse est pleine ! Elle n'en contiendra pas plus !* »

Tranquillement, Nan-In répondit : « *Vous êtes comme cette tasse, déjà plein de vos propres opinions et spéculations. Comment pourrais-je vous parler du zen, si vous ne commencez pas par vous vider ?* »

PARABOLE ZEN

La relation entre la vie et la mort est la même que celle qui existe entre le silence et la musique – le silence précède la musique et lui succède.

DANIEL BARENBOÏM
pianiste et chef d'orchestre argentin

Un porteur d'eau indien avait deux grandes jarres, suspendues aux deux extrémités d'une pièce de bois qui épousait la forme de ses épaules.

L'une des jarres avait un éclat et, alors que l'autre jarre conservait parfaitement toute son eau de source jusqu'à la maison du maître, l'autre jarre perdait presque la moitié de sa précieuse cargaison en cours de route.

Cela dura deux ans, pendant lesquels, chaque jour, le porteur d'eau ne livrait qu'une jarre et demie d'eau à chacun de ses voyages.

Bien sûr, la jarre parfaite était fière d'elle, puisqu'elle parvenait à remplir sa fonction du début à la fin sans faille.

Mais la jarre abîmée avait honte de son imperfection et se sentait déprimée parce qu'elle ne parvenait à accomplir que la moitié de ce dont elle était censée être capable.

Au bout de deux ans de ce qu'elle considérait comme un échec permanent, la jarre endommagée s'adressa au porteur d'eau, au moment où celui-ci la remplissait à la source : « *Je me sens coupable, et je te prie de m'excuser.* »

« *Pourquoi ?* demanda le porteur d'eau. *De quoi as-tu honte ?* »

« *Je n'ai réussi qu'à porter la moitié de ma cargaison d'eau à notre maître, pendant ces deux ans, à cause de cet éclat qui fait fuir l'eau. Par ma faute, tu fais tous ces efforts, et, à la fin, tu ne livres à notre maître que la moitié de l'eau. Tu n'obtiens pas la reconnaissance complète de tes efforts* », lui dit la jarre abîmée.

Le porteur d'eau fut touché par cette confession et, plein de compassion, répondit : « *Pendant que nous retournons à la maison du maître, je veux que tu regardes les fleurs magnifiques qu'il y a au bord du chemin.* »

Au fur et à mesure de leur montée sur le chemin, au long de la colline, la vieille jarre vit de magnifiques fleurs baignées de soleil sur les bords du chemin, et cela lui mit du baume au cœur. Mais à la fin du parcours, elle se sentait toujours aussi mal parce qu'elle avait encore perdu la moitié de son eau.

Le porteur d'eau dit à la jarre : « *T'es-tu rendu compte qu'il n'y avait de belles fleurs que de ton côté, et presque aucune du côté de la jarre parfaite ? C'est parce que j'ai toujours su que tu perdais de l'eau, et j'en ai tiré parti. J'ai planté des semences de fleurs de ton coté du chemin et, chaque jour, tu les as arrosées tout au long du chemin. Pendant deux ans, j'ai pu grâce à toi cueillir de magnifiques fleurs qui ont décoré la table du maître. Sans toi, jamais je n'aurais pu trouver des fleurs aussi fraîches et gracieuses. »*

CONTE DE L'INDE

Après quatorze années passées en dures pénitences dans une forêt solitaire, un homme avait enfin acquis le pouvoir de marcher sur les eaux. Rempli de joie, il alla trouver son guru et lui dit : « *Maître, j'ai maintenant le pouvoir de marcher sur les flots.* »

Son guru le réprimanda en lui disant : « *Honte à toi ! Quatorze ans de travail pour arriver à cela ! Ce que tu as obtenu ne vaut pas deux sous. N'importe qui peut passer la rivière en donnant deux sous au batelier, et il t'a fallu quatorze ans pour arriver à cela !* »

RAMAKRISHNA
mystique bengali

La véritable musique est le silence et toutes les notes ne font qu'encadrer ce silence.

MILES DAVIS
compositeur et trompettiste de jazz américain

Chacun de nous possède une musique d'accompagnement intérieure. Et si les autres l'entendent aussi, cela s'appelle la personnalité.

GILBERT CESBRON
écrivain français

Il faudrait parvenir à cette sagesse élémentaire de considérer les ténèbres où nous allons sans plus d'angoisse que les ténèbres d'où nous venons. Ainsi, la vie prend son vrai sens : un moment de lumière.

PAUL GUIMARD
écrivain et journaliste français

Aussitôt qu'une pensée vraie est entrée dans notre esprit, elle jette une lumière qui nous fait voir une foule d'autres objets que nous n'apercevions pas auparavant.

FRANÇOIS-RENÉ DE CHATEAUBRIAND
écrivain français

Une vie heureuse est impossible sans la sagesse, l'honnêteté et la justice, et celles-ci à leur tour sont inséparables d'une vie heureuse.

ÉPICURE
philosophe grec

Chaque homme dans sa nuit s'en va vers sa lumière.

VICTOR HUGO
poète et écrivain français

Il était une fois un vieil homme assis à l'entrée d'une ville du Moyen-Orient. Un jeune homme s'approcha et lui dit :

« *Je ne suis jamais venu ici ; comment sont les gens qui vivent dans cette ville ?* »

Le vieil homme lui répondit par une question : « *Comment étaient les gens dans la ville d'où tu viens ?* »

« *Égoïstes et méchants. C'est d'ailleurs la raison pour laquelle j'étais bien content de partir* », dit le jeune homme.

Le vieillard répondit : « *Tu trouveras les mêmes gens ici.* »

Un peu plus tard, un autre jeune homme s'approcha et lui posa exactement la même question.

« *Je viens d'arriver dans la région ; comment sont les gens qui vivent dans cette ville ?* »

Le vieil homme lui répondit : « *Dis-moi, mon garçon, comment étaient les gens dans la ville d'où tu viens ?* »

« *Ils étaient bons et accueillants, honnêtes ; j'y avais de bons amis ; j'ai eu beaucoup de mal à la quitter* », répondit le jeune homme.

« *Tu trouveras les mêmes gens ici* », répondit le vieil homme.

Un marchand qui faisait boire ses chameaux non loin de là avait entendu les deux conversations. Dès que le deuxième jeune homme se fut éloigné, il s'adressa au vieillard sur un ton de reproche : « *Comment peux-tu donner deux réponses complètement différentes à la même question posée par deux personnes ?* »

« *Celui qui ouvre son cœur change aussi son regard sur les autres, répondit le vieillard. Chacun porte son univers dans son cœur.* »

CONTE DU LIBAN

Cultiver l'humilité revient à cultiver l'hypocrisie. L'humble n'a pas conscience de son humilité.

MAHATMA GANDHI
sage et politicien indien

Le courage, c'est de comprendre sa propre vie... Le courage, c'est d'aimer la vie et de regarder la mort d'un regard tranquille... Le courage, c'est d'aller à l'idéal et de comprendre le réel.

JEAN JAURÈS
homme politique français

Au Japon, un moine fut jeté par sept fois en prison. À chaque libération, il recommençait à voler, puis se faisait arrêter ; ainsi pouvait-il enseigner aux prisonniers, qui reçurent tous l'ordination de moine. Le grand moine, du nom de Shinhyo, continua ainsi son jeu, jusqu'à ce que les gardiens, émus et troublés, relâchassent les prisonniers et leur maître.

CONTE ZEN

La fleur donne son pollen, et là où l'abeille en fait son miel le frelon compose son venin...

Il y a des gens très instruits, ayant beaucoup de diplômes, à l'esprit très grossier, sans finesse. Et il y a des gens très simples, sans grande instruction, sans références universitaires, à l'esprit très fin, ouvert au subtil.

JEAN-YVES LELOUP
philosophe et écrivain français

Ne demande pas ton chemin à quelqu'un qui le connaît. Tu risquerais de ne jamais t'égarer.

PROVERBE YIDDISH

Veux-tu vivre heureux ? Voyage avec deux sacs, l'un pour donner, l'autre pour recevoir.

JOHANN WOLFGANG VON GOETHE
poète et romancier allemand

Un étudiant zen vint voir Bankei et lui dit : « *Maître, je souffre de colères irrépressibles. Comment puis-je m'en guérir ?* »

« *Montre-moi cette colère,* dit Bankei, *cela semble fascinant.* »

« *Je ne l'éprouve pas en ce moment,* répondit l'étudiant, *aussi je ne peux pas vous la montrer.* »

« *Eh bien alors,* continua Bankei, *apporte-là moi quand tu l'auras.* »

« *Mais je ne puis l'apporter juste au moment où elle survient,* protesta l'étudiant, *elle fait irruption de façon inattendue, et je l'aurai sûrement perdue avant de pouvoir vous l'apporter.* »

« *Dans ce cas,* dit Bankei, *elle ne peut pas faire partie de ta vraie nature. Si c'était le cas, tu pourrais me la montrer n'importe quand. À ta naissance, tu ne l'avais pas, aussi doit-elle t'être venue de l'extérieur. Je suggère que chaque fois qu'elle t'arrive, tu te frappes avec un bâton jusqu'à ce que la colère ne puisse plus le supporter et s'enfuie.* »

CONTE ZEN

Aux admirateurs de lune
les nuages parfois
offrent une pause

BASHÔ
poète japonais

Le voleur
a tout pris sauf
la lune à la fenêtre

RYOKAN
moine japonais

On nous a donné le sommeil pour nous reposer de vivre avec nous-mêmes.

Jacques Deval
dramaturge et scénariste français

Comme une journée bien remplie nous donne un bon sommeil, une vie bien vécue nous mène à une mort paisible.

LÉONARD DE VINCI
peintre, artiste, scientifique et inventeur italien

Le sommeil est la moitié de la santé.

PROVERBE FRANÇAIS

De temps en temps, il faut se reposer de ne rien faire.

JEAN COCTEAU
poète français

NOTE DE L'AUTEUR

Merci à mes amis et correspondants de par le monde qui m'ont fait parvenir nombre de ces contes philosophiques.

Certains – et vous les reconnaîtrez sans doute – se sont déjà répandus par la voie de l'Internet, souvent hélas sans aucune référence quant à leur origine. Nous avons fait notre possible pour en identifier la source, mais plusieurs ont été récupérés et adaptés selon les pays.

Peu importe, car leur essence demeure la même et c'est la raison pour laquelle il vaut mieux les faire circuler que les reléguer aux oubliettes.

Un proverbe zen nous dit d'ailleurs que lorsqu'on nous indique la lune, il faut regarder l'astre lumineux, et non le doigt qui nous le montre.

MICHEL LAVERDIÈRE *a étudié à l'École des Beaux-Arts de Montréal. Il a été graphiste, journaliste, auteur et producteur. Il a voyagé en Amérique, en Europe et au Moyen-Orient. Il a étudié la philosophie et la méditation dans des ashrams au Québec, en France et en Angleterre. À l'aube de la retraite, il partage son temps entre la production et l'écriture.*